Corrado Conforti · Linda Cusimano

Linea diretta 1

Corso di italiano per principianti

Guerra Edizioni

Per la preziosa collaborazione durante la produzione e sperimentazione del libro ringraziamo le colleghe ed amiche Daniela Pecchioli e Luciana Ziglio.

4.   3.   2.   1.
2004   2003   2002

1. Edizione
© 1994 Max Hueber Verlag, D-85737 Ismaning
Copertina: Zembsch' Werkstatt, Monaco
Disegni: Monika Kasel, Düsseldorf
Layout: Caroline Sieveking, Monaco
Fotocomposizione e litografie: ROYAL MEDIA Publishing, Ottobrunn

© 1997 Guerra Edizioni - Perugia
Stampa: Guerra guru s.r.l. - Perugia
Printed in Italy
ISBN 88-7715-399-7

Indice

6

Prefazione

Linea diretta 1 costituisce la prima parte di un corso completo di italiano per stranieri. Questo primo volume, dei due che formano l'intera opera, è indirizzato ai principianti ma può essere usato anche da studenti che abbiano già alcune conoscenze elementari della lingua italiana. Il corso, che pure non trascura la componente grammaticale, si propone tuttavia di fornire allo studente un approccio alla lingua sostanzialmente comunicativo.

Linea diretta si rivolge insomma a chi voglia imparare l'italiano per essere presto in grado di seguire una normale conversazione e di intervenire in essa esprimendo le proprie opinioni e i propri bisogni.

Come dice il titolo stesso, scopo di **Linea diretta** è quello di porre gli studenti a contatto diretto con la lingua. Ogni lezione inizia perciò con un brano di ascolto, ossia con un dialogo della lunghezza di alcuni minuti in cui due speaker di lingua madre hanno riprodotto improvvisandola - e usando la loro normale fluenza - una delle tante situazioni della vita di ogni giorno. Lo studente si trova così immediatamente di fronte alla lingua autentica e, avvertito dall'insegnante che il suo compito non sarà quello di capire tutto, ma di concentrarsi per familiarizzare con i suoni e la fluenza dell'italiano e per capire soltanto quanto gli è possibile, svolgerà senza timori un'attività che lo porterà progressivamente a capire sempre di più.

Alcuni brani del dialogo iniziale, trascritti e registrati, permettono poi allo studente di imparare in dettaglio le forme della lingua parlata, apprendendone al tempo stesso le intenzioni comunicative e le regole morfosintattiche e fonologiche che la sottendono. A questi dialoghi seguono esercizi interattivi finalizzati al consolidamento delle strutture apprese e all'ampliamento del vocabolario.

In alcune lezioni inoltre l'attenzione dello studente è richiamata su alcune particolari espressioni proprie dell'italiano soprattutto parlato, le quali non sempre hanno una corrispondenza precisa nella lingua madre dello studente e che devono tuttavia essere apprese per le intenzioni comunicative che veicolano.

In ogni lezione sono poi presenti alcuni testi scritti che trattano spesso argomenti di civiltà, e ancora esercizi di produzione orale e scritta nei quali vengono esercitate liberamente dagli studenti le conoscenze acquisite fino a quel momento.

Ogni lezione si chiude con un breve test il cui scopo è quello di offrire al discente la possibilità di verificare quanto appreso e di colmare eventuali lacune. In appendice alle lezioni sono presenti alcune tavole di revisione grammaticale che permettono una rapida consultazione. Concludono il manuale una lista dei vocaboli delle lezioni (con lo spazio per la traduzione nella lingua madre) ed un glossario in ordine alfabetico.

L'eserciziario, che è destinato al lavoro a casa, si occupa di consolidare quanto è stato appreso in classe. Il corso è accompagnato da due audio cassette (o due compact disc) destinate all'uso in classe, ma che possono essere usate anche a casa.

Linea diretta costituisce dunque un riuscito equilibrio fra approccio metodico e soluzioni ludiche e saprà soddisfare il discente senza stancarlo, ma motivandolo e offrendogli più di un'occasione di divertimento.

adesso - New
Numero di telefono
insegnante (m/f)
giornalista (m/f)
segretaria/o
cuoco/a kwakò - chef
infermiera
        miere
avvocato/avvocatessa - Nurse
psicologo
cosa fa?

Determinativo
il cane   la casa
l'albero   l'amica
lo studento

Indeterminativo
un cane   una casa
un albero   un'amica
uno zio
        psicologo

Ciao, come stai?

A una festa Luciana presenta Michele a Hildegard.

1

QUESTIONARIO

Segnate con una crocetta le informazioni esatte.

a. Hildegard Schneider è
- tedesca. ☑
- austriaca. ☐
- svizzera. ☐

d. Michele è di
- Roma. ☑
- Napoli. ☐
- Milano. ☐

b. È di
- Villach. ☐
- Freising. ☑
- Winterthur. ☐

e. Hildegard beve
- un vino rosso. ☐
- un vino bianco. ☐
- un prosecco. ☑

c. È
- architetto. ☑
- fotografa. ☐
- avvocato. ☐

11

DIALOGO

■ Ciao, Luciana!
● Ciao, Michele!
■ Come stai?
● Bene, grazie e tu?
■ Bene anch'io, grazie.

Confidenziale:	Ciao, Mario!	Come stai?	Bene, grazie. Abbastanza bene. Non c'è male.	E tu?
Formale:	Buongiorno, signor Bianchi! Buonasera, signora De Cesari!	Come sta?	Bene, grazie. Abbastanza bene. Non c'è male.	E Lei?

ESERCIZIO

Il signor Fallaci incontra la signora Marchi.
Che cosa dice?
Giovanna incontra Michele. Che cosa dice?
Formate altre coppie e fate i dialoghi.

DIALOGO

● Michele, posso presentarti la mia amica
Hildegard? ... Hildegard, questo è Michele.
▲ Piacere!   *This*
■ Piacere!

Situazione formale

Situazione confidenziale

Franco, posso presentarti la mia amica Rita? Rita, questo è Franco.

Ciao!

Ciao!

Signora De Cesari, posso presentarLe il signor Bianchi? Signor Bianchi, la signora De Cesari.

Piacere!

Molto lieta!

Questo è **il** mio amico.
Questa è **la** mia amica.

Signora De Cesari, il signor Bianchi.
Signor Bianchi, la signora De Cesari.

(5) **ESERCIZIO**

Completate con *posso presentarti* o *posso presentarLe*.

    a. Franco, _posso presentarti_ la mia amica Giulia?

    b. Stefania, _posso presentarti_ il mio amico Carlo?

    c. Signora Castagnoli, _posso presentarLe_ il signor Rossi?

    d. Dottor Chesani, _posso presentarLe_ la signora Poli?

    e. Piero, _posso presentarti_ il mio amico Gigi?

    f. Signor Ruberti, _posso presentarLe_ la dottoressa Ferri?

(6) **E ADESSO TOCCA A VOI!**

    Lei è a una festa.
    Incontra due Suoi amici e li presenta.

FORMALE: Senta, scusi
informale: senti, scusa

(7) **DIALOGO**

    ■ Senta, scusi. Non ho capito bene il Suo nome. Come si chiama?
    ▲ Mi chiamo Hildegard Schneider.
    ■ Come, scusi?
    ▲ Hildegard Schneider. Hildegard è il nome e Schneider è il cognome.

| Come si chiama? |
| Mi chiamo Hildegard Schneider. |

(8) **ESERCIZIO**

Ripetete il dialogo con i seguenti nomi.

    a. Carlo / Carla MARCHI
    b. Sandro / Sandra BRACCI
    c. Roberto / Roberta FRANCHI
    d. Mario / Maria TURCHETTI
    e. Lucio / Lucia SALCE
    f. Andrea / Andreina DALLA CHIESA

fare la spesa (food shopping)
fare una telefonata (call)
fare le valigie (vale-jay) (pack)
fare una passeggiata (go for a walk)
⑨ fare una domanda (ask?)

volere to want
1. voglio
2. vuoi
3. vuole

○ fare una gita (trip)
fare uno sport
fare una foto
fare colazione (have brkft)
fare il bagno (bath)
fare bel tempo (good weather) Fare (ch)
fare la doccia (shower) facc-o
dou-a 1. faccio
dou-eh 2. fai
3. fa
4. facciamo
5. fate
6. fanno

DIALOGO

■ E Lei è tedesca?
▲ Sì, sono tedesca.
■ E di dove?
▲ Di Freising.
■ Freising … dov'è?
▲ In Baviera, vicino a Monaco.

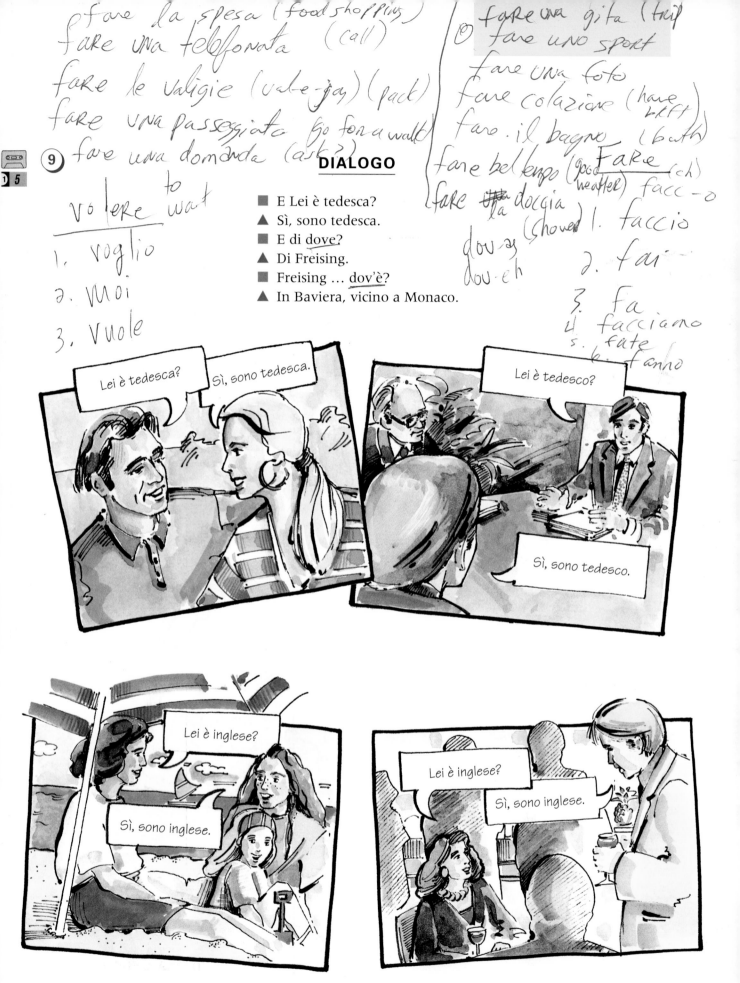

LEZIONE 1

LEZIONE 1

(10) **ESERCIZIO**

Intervistate le seguenti persone secondo il modello.

> Come si chiama? — *Angelo Negri*
> È *italiano?* — Sì, sono *italiano.*
> E di dove? — Di *San Gimignano.*

- **a.** Angelo/Angela Negri — italiano/a – San Gimignano
- **b.** Franz/Franziska Soller — svizzero/a – Berna
- **c.** John/Joan Richard — inglese – Londra
- **d.** Kurt/Katrin Heider — austriaco/a – Graz
- **e.** Richard/Ricarda Huber — tedesco/a – Bonn
- **f.** Michel/Michelle Duval — francese – Parigi
- **g.** José/Mercedes Rodriguez — spagnolo/a – Madrid
- **h.** Björn/Ulla Olofsson — svedese – Stoccolma
- **i.** Patrick/Patricia Smith — americano/a – New York
- **j.** Manuel/Fernanda Pinto — portoghese – Lisbona
- **k.** Spiros/Maria Savvidis — greco/a – Atene
- **l.** Ahmet/Nermin Adanir — turco/a – Smirne

(11) **ESERCIZIO**

> ☐ *San Gimignano* dov'è?
> ○ È in *Toscana*, vicino a *Siena*.

San Gimignano	Toscana	Siena
Sorrento	Campania	Napoli
Cefalù	Sicilia	Palermo
Decimomannu	Sardegna	Cagliari
Lerici	Liguria	La Spezia
Maglie	Puglia	Lecce
Gubbio	Umbria	Perugia
Caldaro	Alto Adige	Bolzano

16

DIALOGO

■ Ma Lei parla benissimo l'italiano.
  Complimenti!
▲ Grazie. Perché mio marito è italiano.
■ Ah, è per questo! E Lei è qui in vacanza?
▲ No, magari! Sono qui per lavoro.
■ E che lavoro fa?
▲ Sono architetto.

Che lavoro fa?	Sono	architetto. insegnante. impiegato/impiegata. casalinga.

ESERCIZIO

Ripetete il dialogo da *E Lei è qui in vacanza?* e sostituite *architetto*
con una delle seguenti professioni.

a. ingegnere

b. impiegata

c. insegnante

d. commesso

e. medico

f. segretaria

g. operaio

h. casalinga

i. farmacista

DIALOGO

■ Senta, ma noi siamo amici di Luciana
Possiamo darci del tu, no?
▲ Sì, volentieri!

Possiamo darci del tu?   Sì, volentieri!

E ADESSO TOCCA A VOI!

Una festa a Venezia

Uno di voi è di Venezia,
l'altro è straniero,
ma parla bene l'italiano
perché vive
in Italia.
Presentatevi
e parlate di voi.

DIALOGO

▲ Scusa, come ti chiami?
■ Io mi chiamo Michele.
▲ Ah sì, Michele. E tu sei di Firenze?
■ No, io sono di Roma, ma abito a
Firenze da sei anni.
▲ E cosa fai qui?
■ Lavoro in una libreria.

Come ti chiami?

Mi chiamo Michele.

(Che) cosa fai qui?

Lavoro in una libreria.

18

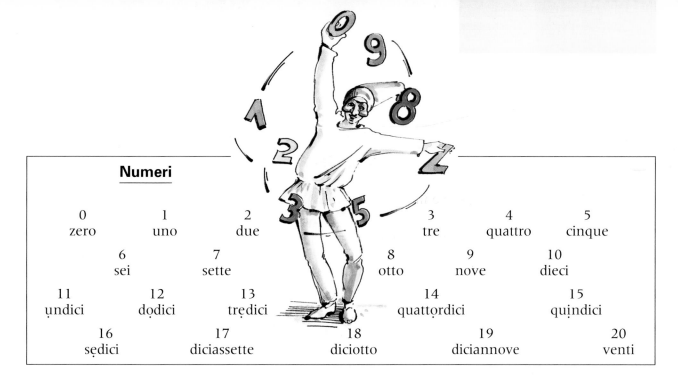

Numeri

0	1	2	3	4	5
zero	uno	due	tre	quattro	cinque

6	7	8	9	10
sei	sette	otto	nove	dieci

11	12	13	14	15
undici	dodici	tredici	quattordici	quindici

16	17	18	19	20
sedici	diciassette	diciotto	diciannove	venti

 ESERCIZIO

Ripetete il dialogo con i seguenti dati.

Questo è Marco,
abita a Milano da 10 anni,
è di Parma,
lavora in una banca.

Questo è Giulio,
abita a Torino da 15 anni,
è di Napoli,
lavora in un bar.

Questa è Marisa,
abita a Lucca da 7 anni,
è di Trento,
lavora in una profumeria.

Questa è Rita,
abita a Bologna da 8 anni,
è di Genova,
lavora in un hotel.

(18)

DIALOGO

■ Senti, vuoi bere qualcosa? ... Un vino
bianco ... un vino rosso ...
▲ Preferisco un prosecco.
■ Un prosecco, benissimo. ... Ecco qui. Alla salute!
▲ Salute!

Hildegard, **vuoi**	bere qualcosa?
Signora, **vuole**	

Vuoi	**un** vino rosso?
	un aperitivo?
	uno spumante?
Vuole	**una** birra?
	un'aranciata?

(19)

ESERCIZIO

Ripetete il dialogo con le seguenti bevande.

a. vino bianco – vino rosso – prosecco
b. grappa – cognac – amaro
c. Campari – Cinzano – Martini
d. spumante – prosecco – vino bianco
e. coca cola – aranciata – acqua minerale
f. vino rosso – vino bianco – birra

Attenzione!

Non si dice *Alla salute!* se la bevanda non è
alcolica.

(20)

ESERCIZIO

Rispondete alle seguenti domande.

a. Come si chiama Lei?
b. Di dove è?
c. Dove abita?
d. Da quanto tempo abita qui?
e. Che lavoro fa?
f. Che cosa preferisce bere?

E ADESSO TOCCA A VOI!

A Firenze per studiare l'italiano

Lei studia l'italiano in una scuola a Firenze.
L'insegnante oggi ha organizzato una festa per i suoi
studenti e ha invitato anche degli amici italiani.
Cerchi di conoscere almeno due delle persone presenti.
Attenzione però: si parla solo in italiano!

LETTURA

Francesca scrive ad Anna
questa cartolina.

Cara Anna,
come stai? Come va la vita a
Graz? Io sto bene, ma in
questo momento ho un piccolo
problema: da ottobre cerco
una ragazza alla pari per il
bambino. Conosci una
ragazza seria e simpatica
che vuole venire a vivere
per un anno in Italia?
Scrivimi presto. Ciao!
Francesca

Frau
Anna Berger
Schulgasse 3
A - 8010 Graz

Rispondete alle domande.

a. Dove abita Anna? _____

b. Come sta Francesca? _____

c. Che cosa cerca Francesca? _____

Anna risponde
a Francesca.

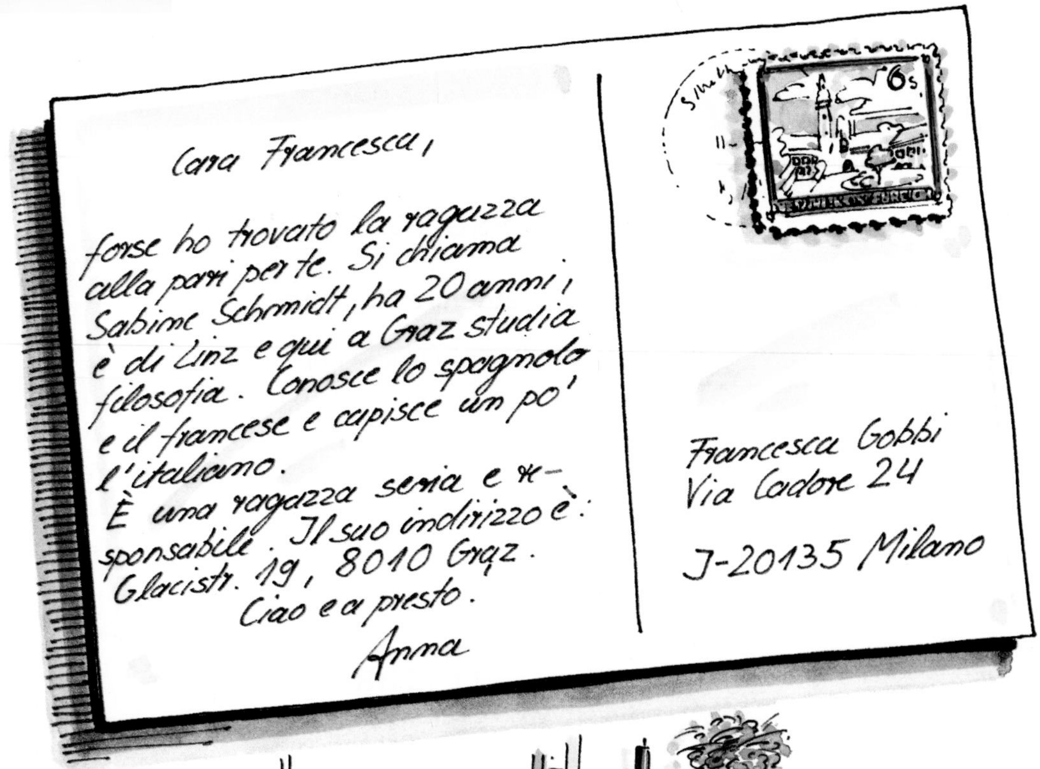

Cara Francesca,

forse ho trovato la ragazza
alla pari per te. Si chiama
Sabine Schmidt, ha 20 anni,
è di Linz e qui a Graz studia
filosofia. Conosce lo spagnolo
e il francese e capisce un po'
l'italiano.
È una ragazza seria e re-
sponsabile. Il suo indirizzo è:
Glacistr. 19, 8010 Graz.
Ciao e a presto.
Anna

Francesca Gobbi
Via Cadore 24

I-20135 Milano

Rispondete alle domande.

a. Chi è Sabine? _____

b. In quale città abita? _____

c. Quanti anni ha? _____

d. Che cosa studia? _____

e. Che lingue parla? _____

E ADESSO TOCCA A VOI!

Raccomandi a Francesca una persona che conosce.

(24)

TEST

Completate con le parole mancanti.

a. Michele è un _____ di Luciana. È ____

Roma, ma abita ____ Firenze ____ 6 anni.

_____ in una libreria.

b. Anche Hildegard è _____ amica di Luciana.

È tedesca, ____ Freising, vicino ____

Monaco.

È ____ Italia per lavoro: è architetto. _____

bene l'italiano _____ il marito è italiano.

c. Francesca ha ____ piccolo problema:

_____ una ragazza alla pari per ____

bambino.

d. Anna conosce una _____ austriaca

di Linz. ____ _____ Sabine, abita ___

Graz e _____ filosofia.

6·9·1993 LISTINO PREZZI BAR

SERVIZIO AL BANCO AL TAVOLO

	AL BANCO	AL TAVOLO
CAFFE' ESPRESSO £	1200 £	1700
" HAG	1300 "	1800
" E THE' FREDDI	1800 "	2300
CAPPUCCINO	1500 "	2000
LATTE	1000 "	1500
CIOCCOLATA IN TAZZA	2200 "	2700
THE' O CAMOMILLA	1400 "	1900
APERITIVI ALCOLICI E AMARI	2000 "	2500
VERMOUTH	1800 "	2300
VINO	1200 "	1700
VINO D·O·C·	1500 "	2000
VIN SANTO	1800 "	2300
SANGRIA	1500 "	2000
" IN CARAFFA	7000 "	8500
COPPA DI SPUMANTE	2000 "	2500
BIRRA ALLA SPINA PICCOLA	2000 "	2500
" MEDIA	4000 "	4500
" GRANDE	10000 "	10500
BIBITE IN GENERE	1800 "	2300
" IN LATTINA	2500 "	3000
SPUMA	800 "	1300
TROPYCAL	2000 "	2500
SUCCHI DI FRUTTA	2000 "	2500
SPREMUTE DI POMPELMO	2000 "	2500
" " ARANCIA	3000 "	3500
" " LIMONE	2000 "	2500
SCIROPPI IN ACQUA MINERALE	2000 "	2500
ACQUA MINERALE	500 "	1000
ACQUA MINERALE BOTTIGLIA	2000 "	2500
PANINI	1400 "	1900
TOAST E HOT DOG	1900 "	2400
PASTE	1100 "	1600

[handwritten notes in top margin:]
ho fame (hungry)
ho sete (thirst)
ho sonno (sleeps)
ho caldo/freddo

Che cosa prendi?

[handwritten: sono stanca]

È una bella giornata e Daniela e Luigi, dopo una
passeggiata per il centro di Roma, vedono un bar.

QUESTIONARIO

Segnate con una crocetta le affermazioni esatte.

a. Luigi prende una birra
    piccola ❑
    media ☒
    grande ❑

e mangia
    un panino. ❑
    un toast. ❑
    un tramezzino. ☒ *[handwritten: mozzerrelo/funçi caldo]*

b. Daniela mangia
    un tramezzino ☒ *[handwritten: Pomodori]*
    un toast ❑
    un sandwich ❑

e prende
    una birra. ❑ *[handwritten: spina?]*
    una spremuta d'arancia. ☒
    una spremuta di pompelmo. ❑

c. Pagano
    9.250 (novemila duecentocinquanta lire). ❑
    19.250 (diciannovemila duecentocinquanta lire). ☒
    29.250 (ventinovemila duecentocinquanta lire). ❑

d. Il bar è
    caro. ☒
    economico. ☒

[handwritten: caro = expensive / caro = dear]

② DIALOGO

■ Senti, io sono stanca. Andiamo in quel bar?

● Sì, buona idea, perché sono stanco anch'io e poi ho sete. Ho veramente sete.

■ Senti, ci sediamo dentro o fuori?

● Beh, ma fuori, no? È una giornata così bella. Dai!

③ ESERCIZIO

Ripetete il dialogo secondo il modello.

---

sono stanco – ho sete

☐ Senti io *sono stanco*. Andiamo in quel bar?

○ Buona idea, perché *sono stanco* anch'io e poi *ho sete. Ho* veramente *sete*.

---

a. ho sete – ho fame

b. ho fame – sono stanco

c. ho sete – sono stanco

d. sono stanco – ho fame

④ ESERCIZIO

Rispondete secondo il modello.

☐ Ci sediamo dentro o fuori? (È una giornata così bella!)

○ Ma fuori, no? È una giornata così bella, dai!

---

a. Ci sediamo all'ombra o al sole? (Al sole fa caldo.)

b. Andiamo al Piccolo Bar o al Caffè Biffi? (Il Caffè Biffi è caro.)

c. Ci sediamo dentro o fuori? (Fuori fa freddo.)

d. Mangiamo un tramezzino o andiamo in un self-service? (Io ho fame.)

(5)

DIALOGO

▲ Buongiorno. Mi dica.
● Senta, io vorrei una birra.
▲ In bottiglia o alla spina?
● Alla spina.
▲ Alla spina, va bene. Piccola, media o grande?
● Mah … media.
▲ Benissimo.

(6)   ## ESERCIZIO

Fate il dialogo secondo il modello: birra – in bottiglia / alla spina.

> △ Mi dica.
> □ Senta, io vorrei *una birra*.
> △ *In bottiglia* o *alla spina*?
> □ Alla spina.

cornetto   con la crema / con la marmellata

tè   al latte / al limone

whisky   liscio / con ghiaccio

con il prosciutto / con il salame

panino

bicchiere di latte   caldo / freddo

gelato   con / senza panna

aperitivo   alcolico / analcolico

aranciata dolce/amara

27

(7)

DIALOGO

● Che cosa avete da mangiare?

▲ Mah, abbiamo medaglioni, tramezzini, pizzette, toast …

● Senta, i tramezzini come sono?

▲ Beh, con uova e pomodoro, oppure prosciutto cotto e fontina, mozzarella e carciofini, tonno e pomodoro, mozzarella e alici, mozzarella e funghi.

● Ah, ecco, benissimo. Allora, per favore, un tramezzino con mozzarella e funghi.

Abbiamo	medaglioni.
	tramezzini.
	pizzette.
	toast.

I medaglioni	
I tramezzini	
I toast	come sono?
Le pizzette	

(8)

ESERCIZIO

Ripetete il dialogo con il listino qui sotto.

SPUNTINI

panini	prosciutto crudo, formaggio e funghi
	prosciutto cotto, formaggio e carciofini
	speck, formaggio e cetriolini
pizzette	mozzarella e pomodoro
	funghi e prosciutto
	zucchine e melanzane
sandwich	tonno, uova, pomodoro
	prosciutto cotto e formaggio
	salmone e radicchio

tramezzini	burro e salmone
	gamberetti e insalata russa
	tonno e pomodoro
	mozzarella e funghi
	mozzarella e pomodoro
	asparagi e uova
toast	prosciutto cotto e formaggio
	prosciutto cotto, formaggio e funghi
	prosciutto cotto, formaggio e carciofini

DIALOGO

▲ E per Lei, signora?

■ Sì, anch'io vorrei mangiare qualcosa.
Vediamo un po' … Io prendo un tramezzino
con tonno e pomodoro.

▲ E da bere?

■ Da bere … Da bere …

● Prendi una birra anche tu, no?

■ No, una birra no.

● E perché? Non ti piace la birra?

■ Sì, mi piace, ma adesso non mi va.

ESERCIZIO

Ripetete il dialogo da *Prendi … anche tu, no?*
con le seguenti bevande.

DIALOGO

■ Avete spremute?

▲ Sì, abbiamo spremute di arancia, di pompelmo …

■ Sì, allora una spremuta di arancia, ma senza zucchero, mi raccomando,
e con un po' di ghiaccio.

▲ Va bene. D'accordo. Allora vediamo un po': due tramezzini, una birra
media alla spina e una spremuta d'arancia.

● Sì, esatto.

■ Ah, senta, per cortesia, potrebbe portare anche un portacenere?

▲ Certo, signora. Subito.

(12)   **ESERCIZIO**

┌───┐
│ △ Che cosa prende?   │
│ □ Una *spremuta d'arancia*, ma *senza zucchero*, mi raccomando. │
└───┘

Continuate.

spremuta d'arancia / senza zucchero   pizzetta / calda

caffè / ristretto   cappuccino / senza schiuma   cappuccino / caldo

birra / fredda

(13)   **ESERCIZIO**

Scrivete le seguenti ordinazioni.

_____

_____

_____

_____

(14)   **ESERCIZIO**

┌───┐
│ ○ Per cortesia, potrebbe portare *anche un portacenere*? │
│ △ Certo, signora.   │
└───┘

Continuate.

un cucchiaino

un altro bicchiere

un altro tovagliolo

ancora un po' di zucchero

un po' di latte

LETTURA

Una cartolina
da Siena.

SIENA
Il Palazzo Comunale
e il Duomo

Cari Maria e Alberto,
come va? Noi qui a Siena stiamo
benissimo, anche se fa caldo e ci sono
molti turisti. Abitiamo in una
piccola pensione vicino a Piazza del
Campo e tutto il giorno andiamo
in giro per la città e facciamo
molte fotografie. Io domani vado a
Roma per frequentare un corso di
restauro. Frank invece resta ancora
qui perché lunedì c'è il Palio e poi
torna in Svizzera. E voi cosa fate?
Quando partite per le vacanze?
Un caro abbraccio a voi e a tutti
gli amici di Padova.
                              Annette

AL.SA.BA. grafiche s.r.l. - Siena

Ed. Fotoeditoria "Il Duomo"

Maria e Alberto Fini

Via Meucci, 3

35100 Padova

(riproduzione vietata)

A Siena	**c'è** il Palio.
	ci sono molti turisti.

 ESERCIZIO

C'è o ci sono?

Lunedì		il concerto in piazza.
Martedì		gli esami.
Mercoledì	c'è	la maratona.
Giovedì		la processione.
Venerdì	ci sono	il mercato.
Sabato		i fuochi di artificio.
Domenica		le elezioni.

E ADESSO TOCCA A VOI!

Immaginate di essere in Italia. Scrivete una cartolina a un amico / un'amica.

DETTATO

18

● _____ , paghiamo _____ allora. Offro ____ , eh?

■ Oh, _____ .

● Quant'è?

▲ _____ , sono esattamente 19.250 lire.

● _____ . Ecco a _____ .

▲ _____ . Ha le 250 spicciole?

● Tenga pure _____ resto.

▲ _____ .

● Prego.

■ _____ però.

● Mah, un po' _____ , ma in fondo, sai, _____ in _____ .

   Comunque, buon appetito.

■ Altrettanto. _____ .

CAFFE'
FANTI GIOVANNI
C.PORTONI BORSARI 30
VERONA
PART.IVA 02448090239

OPERAT-A   #0000

APER.CASA
APERITIVO   4.500
N.PEZZI   4.000
TOTALE   2
CONTANTI   8.500
12/04/93   8.500
/F GH   R0243
72000666

50	100	200	500	1.000	2.000	10.000	20.000
cinquanta	cento	duecento	cinquecento	mille	duemila	diecimila	ventimila

ESERCIZIO

19

Guardate la lista del bar a pagina 24. Fate le domande e rispondete secondo il modello.

cappuccino – pasta – 3.600

   ■ Quant'è?
   ▲ Allora … *un cappuccino* e *una pasta* … sono *3.600* lire.

Cercate nei dialoghi e nel dettato le seguenti espressioni. Come direste nella vostra lingua? Scrivetelo qui sotto.

> Mi raccomando!   Tenga pure!
>
>   Potrebbe ... ?
>
> Senta!   Dica!   Vorrei ...

○ Senta!   _____

○ Vorrei...   _____

○ Potrebbe...?   _____

○ Tenga pure!   _____

○ Mi raccomando!   _____

○ Dica!   _____

Inserite adesso queste espressioni nei seguenti dialoghi.

a. □ Buongiorno, mi _____ !

△ _____ , _____ un cappuccino,

ma caldo, _____ !

b. ○ _____ portare ancora un po' di zucchero?
Certo, signora! Subito.

c. △ Non ha le 600 lire spicciole?

○ _____ il resto!

22 ESERCIZIO

Completate le parole mancanti.

Cameriere

☐ Buongiorno, mi _____.

☐ ____ bottiglia o _____ spina?

☐ Benissimo.

☐ Abbiamo pizzette, tramezzini; sandwich, panini ...

☐ _____ mozzarella e pomodoro o _____ prosciutto e funghi.

☐ Benissimo.

Poco dopo arriva il cameriere.

☐ Prego, signore.

☐ 12.250 lire.

☐ Non ha le 250 lire _____?

Cliente

△ Io vorrei ____ birra, ma fredda, mi _____.

△ _____ spina.

△ _____, che cosa _____ da mangiare?

△ Ah, bene. E ___ tramezzini come _____?

△ Ah, ecco, benissimo. Allora ____ tramezzino con prosciutto e funghi e ____ birra.

△ Grazie. Quant'____?

△ _____ a Lei.

△ No, ma _____ pure il resto.

E ADESSO TOCCA A VOI!

A Lei è in un bar, chiama il cameriere e ordina qualcosa da bere. Ha anche fame e chiede al cameriere cosa c'è da mangiare. Quando il cameriere porta ciò che ha ordinato, Lei chiede di pagare.

B Lei lavora come cameriere in un bar. Risponda alle domande di un/una cliente, prenda l'ordinazione e porti ciò che ha ordinato.

LETTURA

Gli italiani e il bar

Gli italiani vanno spesso al bar quando hanno voglia di prendere un caffè o un aperitivo o quando vogliono stare con gli amici. Molti italiani di solito non fanno colazione, a casa prendono solo un caffè ①. Poi vanno al bar e prendono un cappuccino o un caffè con un cornetto ②. Le persone che lavorano in centro e che non hanno tempo di tornare a casa spesso preferiscono pranzare in un bar, in un self-service, in una tavola calda o in una paninoteca ③. Dopo pranzo è ancora il momento del caffè, espresso naturalmente, che gli italiani prendono quasi sempre in piedi ④. Ma perché in piedi? Hanno poco tempo? No. In Italia in molti bar c'è una differenza fra i prezzi al banco e quelli al tavolo. Un caffè al tavolo costa di più ⑤. Ma attenzione: prima di consumare qualcosa al banco, bisogna spesso fare lo scontrino alla cassa ⑥.

A quali frasi del testo corrispondono questi disegni? Inserite i numeri.

(25)

TEST

Completate con le parole mancanti.

I.

Oggi _____ caldo. Daniela e Luigi vanno _____
un bar. Luigi _____ sete e prende _____ birra
media _____ spina e poi mangia ancora _____
tramezzino _____ mozzarella e funghi. Daniela
mangia anche _____ tramezzino, ma da bere
prende una _____ d'arancia senza
zucchero e con un po' _____ ghiaccio.

II.

Molti italiani non _____ colazione a casa, ma
al bar con _____ caffè o _____ cappuccino. In
Italia al bar molte persone prendono il caffè
_____ piedi perché in molti bar _____ una differenza fra i prezzi al _____ e i prezzi al tavolo.
Un caffè al _____ costa di più. Prima di
consumare qualcosa al _____ bisogna spesso
fare lo _____ alla cassa.

III. Qual è il contrario di

    a. grande   _____

    b. caro   _____

    c. freddo   _____

    d. amaro   _____

    e. alcolico   _____

Ho una camera prenotata

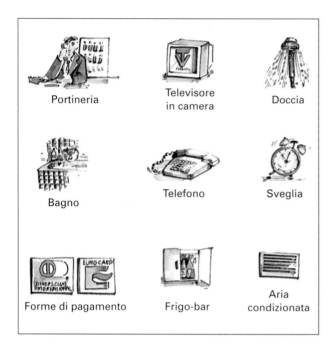

Portineria	Televisore in camera	Doccia
Bagno	Telefono	Sveglia
Forme di pagamento	Frigo-bar	Aria condizionata

Un signore va in albergo e parla con la receptionist.

  (1)

QUESTIONARIO

a. La camera del signor Guerrini è una
- doppia. ❏
- matrimoniale. ❏
- singola. ❏

b. Lui desidera una camera
- silenziosa. ❏
- luminosa. ❏
- grande. ❏

c. La stanza del signor Guerrini è la numero
- 35 (trentacinque). ❏
- 45 (quarantacinque) ❏
- 55 (cinquantacinque). ❏

d. Il documento che ha il signor Guerrini è
- il passaporto. ❏
- la carta d'identità. ❏
- la patente. ❏

e. Il signor Guerrini
- ha una valigia. ❏
- ha due valigie. ❏
- non ha bagagli. ❏

LEZIONE 3

(2) **DIALOGO**

■ Buongiorno.
● Senta, ho una camera prenotata. Mi chiamo Guerrini.
■ Guerrini?
● Sì.
■ Attenda un momento. Sì, una stanza singola per quattro giorni.
● Esattamente. Per quattro giorni.
■ Allora Le do la chiave … Ecco la chiave … La stanza è la numero 45.
● Oh senta, la stanza è silenziosa, vero?
■ Sì, sì, dà sul cortile interno.
● Ah, ecco, bene!

I numeri

20 venti	30 trenta	40 quaranta	50 cinquanta
60 sessanta	70 settanta	80 ottanta	90 novanta
21 ven**tu**no	32 trentadue	43 quaranta**tré**	54 cinquantaquattro	65 sessantacinque
76 settantasei	87 ottantasette	98 nova**tt**otto	99 novantanove	100 cento

(3) **ESERCIZIO**

Scrivete i numeri.

31 _____ 42 _____ 53 _____

64 _____ 75 _____ 86 _____

97 _____ 48 _____ 57 _____

65 _____ 91 _____ 43 _____

La camera è	silenziosa	perché dà	**sul** cortile interno.
	tranquilla		**sul** parco.
			sul giardino.
	rumorosa		**sulla** strada.

La camera è tranquilla perché è **all**'ultimo piano.
La stanza è rumorosa perché è **al** primo piano.

ESERCIZIO

Ripetete il dialogo 2 con i seguenti dati.

nome	camere	periodo	camera n°	posizione
Mariani	una doppia	due giorni	38	sul parco
Rossati	una matrimoniale	una settimana	64	sul cortile
Giorgi	una singola	tre giorni	73	sul retro
Stefani	una camera a tre letti	sei giorni	92	sul giardino
Bassani	una matrimoniale	cinque giorni	46	sulla pineta

(5)

DIALOGO

● Per il pranzo faccio ancora in tempo? Adesso che ore sono, scusi?
■ Sono le 11.25, quindi non c'è problema, perché il pranzo è
da mezzogiorno alle due.
● Ho capito, va bene. Senta, quindi non devo prenotare?
■ No, assolutamente.

| Che ore sono? | Sono le undici e venticinque. |

(6) **CHE ORE SONO?**

Sono le due.

Sono le tre e dieci.

Sono le quattro e quindici.
(le quattro e un quarto)

Sono le cinque e trenta.
(le cinque e mezzo / mezza)

Sono le sei e quaranta.
(le sette meno venti)

Sono le sette e quarantacinque.
(le otto meno un quarto)
(le sette e tre quarti)

Sono le nove e cinquantacinque.
(le dieci meno cinque)

Attenzione!

È l'una.

È mezzogiorno.
È mezzanotte.

(7) **DIALOGO**

- ● Ancora una domanda. La cena a che ora è?
- ■ La cena? … Dunque … dalle 19.30 alle 21.30.
- ● Benissimo. E la colazione?
- ■ Dalle 7.00 fino alle 9.00, di mattina ovviamente.
- ● Senta, eventualmente è possibile fare colazione in camera?
- ■ Certo, Lei telefona e noi mandiamo su la colazione.

A che ora è	la colazione?	**Dalle** 7.00 fino **alle** 9.00.
	il pranzo?	**Dalle** 11.00 **a** mezzogiorno. **Da** mezzogiorno **all'**una. **Dall'**una **alle** 3.00.
	la cena?	**Dalle** 19.30 **alle** 21.30.

(8)

ESERCIZIO

Uno studente è il cliente e l'altro è il receptionist. Il cliente domanda a
che ora è possibile fare colazione, pranzare o cenare e il receptionist
risponde.

COLAZIONE	PRANZO	CENA
7.30 – 9.30	12.00 – 13.30	19.30 – 21.00
7.30 – 10.00	12.30 – 14.00	20.00 – 22.00
8.00 – 10.30	12.15 – 13.45	20.30 – 22.30

È possibile	fare colazione in camera?	Certo.
Posso	pagare con la carta di credito?	No, mi dispiace, non è possibile.
Potrei	avere la sveglia domani mattina?	

(9)

ESERCIZIO

Fate le domande con *posso / potrei / è possibile* e rispondete a piacere.

a. avere la sveglia
domani mattina

b. prendere la
mezza pensione

c. fare un'interur-
bana dalla camera

d. prendere la
pensione completa

e. portare un gatto
in albergo

f. avere ancora un
asciugamano

g. pagare con un
assegno

h. pagare anche in
marchi

10

DETTATO

● _____, __ ____ la macchina parcheggiata qui davanti …

■ ____.

● … Non so se dà fastidio …

■ ____, ____, non c'è problema, comunque, se _____,

____ _____ il garage dell'_____.

● Beh, no, adesso, sa, _____ un po' stanco, _____ _____ __ _____,

comunque la macchina lì non disturba.

■ No, no, non si preoccupi! Assolutamente!

● Ho capito. _____. Scusi, l'ascensore _____?

■ Guardi, è lì, _____.

● _____, allora a più tardi.

■ _____.

11

ESERCIZIO

Fate le domande secondo il modello.

ascensore / lì
○ Dov'è *l'ascensore*?
□ *L'ascensore è lì.*

a. la sala da pranzo / là in fondo
b. il telefono / là
c. il bar / là, a destra
d. la scala / lì, a sinistra
e. l'ascensore / là dietro

(12)   **ESERCIZIO**

Cercate nei dialoghi e nel dettato le seguenti espressioni.
Come direste nella vostra lingua? Scrivetelo qui sotto.

○ ecco   _____

○ esattamente   _____

○ non si preoccupi!   _____

○ vero?   _____

(13)   **ESERCIZIO**

Inserite adesso queste espressioni nei seguenti dialoghi.

a. Allora … una camera doppia per tre giorni.

_____, per tre giorni.

b. La camera è tranquilla, _____?

Sì, è tranquilla.

c. La macchina dà fastidio lì?

No, _____.

d. Ha un documento, per favore?

Sì, _____ il passaporto.

43

HOTEL AURORA

Pensione "DUOMO"

Ostello della Gioventù

Azienda agrituristica

LOCANDA
«STELLA D'ORO»

ALBERGO DEL SOLE

(14)   **ESERCIZIO**

Il signor Bianchi arriva all'albergo e parla con il receptionist.
Completate il dialogo.

☐ Ho una _____ prenotata.

   Mi _____ Bianchi.

                                          △ Un momento. Una doppia _____

                                             doccia _____ 5 giorni, vero?

☐ Esattamente, _____ cinque giorni.

                                          △ Sì, è la 37. _____ la chiave.

☐ Senta, _____ _____ è tranquilla, _____?

                                          △ Sì, _____ sul giardino ed è molto silenziosa.

☐ Ah, ecco bene!

                                          △ Ha un _____ , per favore?

☐ Si, ecco il passaporto.
   Ancora una domanda: a che _____
   è la colazione?

                                          △ _____ 7.00 _____ 9.30.

☐ E _____ avere

   la colazione _____ camera?

                                          △ _____.
                                             Certo.

LETTURA

L'ITALIA DEL BUON ALBERGO

Sporthotel Teresa
39036 Pedraces (Bolzano). Telefono 0471/85695. Quarantotto camere da 128 a 170 mila lire. Chiuso nei mesi di maggio e novembre. Piscina al coperto, tennis, ristorante, telefono, televisione, aria condizionata. Carta di credito: American Express.

Hotel Belvedere
36061 Bassano del Grappa (Vicenza), piazza Generale Giardino 14. Telefono 0424/2.98.45. Fax 0424/2.98.49. Camere: 91 più cinque suites. Prezzi: da 95 a 170 mila. Mezza pensione da 85 a 105 mila lire per persona. Aria condizionata, televisione, frigobar, garage. Carte di credito: American Express, Diners, Eurocard, Visa, CartaSì.

Fortino Napoleonico
60020 Portonovo (Ancona). Telefono 071/801314-801124. Ventotto camere più due suite. Prezzo della camera intorno alle 150 mila lire (mezza pensione 130 mila, pensione completa 150 mila; in alta stagione 150 e 180 mila). Ristorante. Vasche con idromassaggio, doccia, sauna, frigobar, spiaggia privata. Aperto tutto l'anno. Carte di credito: American Express, Diners, Visa.

Posthotel
39038 San Candido (Bolzano). Telefono 0474/7.31.33. Fax 7.36.35. Trentanove camere da 80 a 155 mila lire. Mezza pensione da 80 a 140 mila. Solarium, sauna, piscina riscaldata. Vista panoramica, ammessi piccoli animali, parcheggio custodito. Aperto dal 20 dicembre al 25 aprile e dal 30 maggio alla fine di settembre. Ristorante interno. Garage. Carte di credito: American Express, CartaSì, Diners, Visa.

Vero o falso?

	v	f
a. Lo Sporthotel Teresa è aperto tutto l'anno.	❏	❏
b. Solo due alberghi hanno un garage.	❏	❏
c. Tutti gli alberghi hanno la sauna.	❏	❏
d. Solo in un albergo è possibile portare un gatto.	❏	❏

(16) # E ADESSO TOCCA A VOI!

A Lei è in Italia da solo/a o con la sua famiglia e vede uno degli alberghi descritti qui sopra. Va alla reception e chiede tutte le informazioni che desidera. Infine decide se restare per una o più notti.

B Lei è un receptionist nell'albergo scelto da A. Risponde alle sue domande. Se A decide di pernottare nel suo albergo, gli chieda un documento e gli dia la chiave della camera.

ESERCIZIO

Ascoltate il dialogo e completate.

l'alfabeto

A	come **A**ncona	**G**	come **G**enova	**M**	come **M**ilano	**S**	come **S**alerno	**Y*** ipsilon
B	come **B**ologna	**H**	acca	**N**	come **N**apoli	**T**	come **T**orino	**Z** come **Z**ara
C	come **C**omo	**I**	come **I**mola	**O**	come **O**tranto	**U**	come **U**dine	
D	come **D**omodossola	**J***	i lunga	**P**	come **P**alermo	**V**	come **V**enezia	
E	come **E**mpoli	**K***	kappa	**Q**	come **Q**uarto	**W*** vu doppio	
F	come **F**irenze	**L**	come **L**ivorno	**R**	come **R**oma	**X*** ics	

* Queste lettere non fanno parte dell'alfabeto italiano.

ESERCIZIO

Ripetete il dialogo 17 cambiando:
il tipo di camera   *il prezzo*
il periodo   *il nome del cliente.*

19 **E ADESSO TOCCA A VOI!**

Formate delle coppie. Uno di voi telefona a un albergo per fare una prenotazione e l'altro è il receptionist.

20 **LETTURA**

Milano, 10 gennaio 19..

Hotel Italia
Piazza delle Muse, 14
00165 Roma

Confermo con la presente la prenotazione di una matrimoniale con bagno dal 28 febbraio al 9 marzo e unisco un assegno di L.154.000 corrispondente al prezzo di una notte.

Distinti saluti

N. Rippi

Albergo Chiusarelli   Padova, 12 luglio 19..
Viale Curtatone, 9
53100 Siena

Vi invio un assegno di lire 93.000 per confermare la prenotazione di una camera singola dal 22 al 25 settembre 199.

Distinti saluti   F. Poggi

Napoli, 30 giugno 19..
Albergo Villa Cipriani
Via Canova, 298
31011 Asolo

Confermo, come da telefonata, la prenotazione di una camera doppia con doccia e con mezza pensione dal 6 al 10 agosto.

Distinti saluti   L. Rosini.

Roma, 4 ottobre 19..

Hotel Daniel
Via Gramsci 16
43100 Parma

Confermo la prenotazione di una camera singola con bagno per il 4 dicembre.

Distinti saluti   R. Milo

Rispondete alle seguenti domande.

a. Chi prenota una camera per più di una settimana?

b. Chi va in albergo da solo?

c. Chi resta in albergo soltanto una notte?

d. Chi preferisce mangiare in albergo?

E ADESSO TOCCA A VOI!

Lei vorrebbe passare, insieme alla famiglia, qualche giorno in uno degli alberghi descritti a pagina 45. Ha già prenotato per telefono e adesso deve spedire una conferma scritta della prenotazione ed anche un acconto.

Come modello può prendere una delle.quattro brevi conferme riportate a pagina 47.

(22) **TEST**

I. Completate con le parole mancanti.

Il signor Guerrini va _____ un albergo. Ha una _____ prenotata _____

quattro giorni. È una singola _____ bagno. La camera è silenziosa

perché non _____ sulla strada, ma _____ cortile interno. Il signor

Guerrini domanda ___ che ora è la colazione e se la _____

parcheggiata davanti all'albergo _____ fastidio.

II. Ricostruite il testo della seguente lettera.

la prenotazione
con bagno
dal 29 settembre
un assegno
al 3 ottobre
e unisco
al prezzo di una notte.
Distinti saluti
di L. 146.000
Confermo
corrispondente
di una camera matrimoniale

Senta, scusi!

LEZIONE 4

A Roma una turista chiede informazioni per arrivare a Piazza Capo di Ferro.

(1)

QUESTIONARIO

a. Per andare a Piazza Capo di Ferro la signora deve prendere

- l'autobus. ❑
- il tram. ❑
- la metropolitana. ❑

b. La signora deve scendere

- alla prima ❑
- alla seconda ❑ fermata.
- alla terza ❑

c. Quale di queste due piazze è Piazza Farnese e quale Campo de' Fiori?

d. Normalmente i musei sono aperti

- tutto il giorno. ❑
- fino alle 12.30. ❑
- fino all'una. ❑

e. Perché la turista non può visitare la Galleria Spada?

_____

② 24

DIALOGO

■ Signora?

● Sì.

■ Permette una domanda?

● Prego, dica!

■ Mi può dire dov'è Piazza Capo di Ferro?

● Piazza Capo di Ferro? No, mi dispiace, non lo so perché non sono di qui. Ma guardi, lì c'è un vigile, chieda a lui, lo sa senz'altro.

■ Ah, La ringrazio.

● Prego, non c'è di che.

■ Buongiorno.

Mi può dire	**dov'è**	Piazza Capo di Ferro? Via Condotti? il Colosseo?
	dove sono	i Musei Vaticani?

③ **ESERCIZIO**

Siete a Roma e domandate dove sono i seguenti posti. Ripetete il dialogo.

a. Palazzo delle Esposizioni

b. Colosseo

c. Zoo

d. Via Condotti

e. Terme di Caracalla

f. Studi di Canale 5

g. Opera

h. Piazza di Spagna

i. Galleria Doria Pamphili

j. Musei Vaticani

(4) **DIALOGO**

■ Senta, scusi!

▲ Buongiorno, mi dica!

■ Buongiorno, mi scusi, mi sa dire dov'è Piazza Capo di Ferro?

▲ Piazza Capo di Ferro. Sì, senta, ma Lei è a piedi?

■ Sì, sono a piedi.

▲ Beh, è un po' lontano. Comunque, ci può andare in autobus, c'è il 64 che passa qui vicino.

■ Dove?

▲ Guardi, lì c'è la fermata, vede? Accanto all'edicola.

■ Ah, sì. E dove devo scendere?

▲ Dunque, deve scendere alla terza fermata.

Dov'è la fermata?

È lì,	accanto	all'edicola.
	davanti	alla trattoria.
	di fronte	al cinema.

(5) **ESERCIZIO**

Fate le domande e rispondete secondo il modello.

Scusi, dove sono i giardini pubblici?

Sono lì, accanto al ponte.

(6) **ESERCIZIO**

Ripetete il dialogo con i seguenti dati.

Destinazione	Autobus	Fermata	n° fermate
a. Colosseo	81	scuola	3
b. Zoo	3	teatro	3
c. Via Condotti	913	ufficio postale	5
d. Terme di Caracalla	90	distributore	2
e. Studi di Canale 5	118	cabina telefonica	4
f. Opera	75	polizia	3
g. Piazza di Spagna	119	stazione	6
h. Musei Vaticani	999	farmacia	4

(7)   **ESERCIZIO**

Completate con il locativo *ci* e con i verbi *andare, restare* e *tornare*.

> Questo ristorante mi piace: *ci torno* anche domani.

a. Siamo in Italia e _____ ancora due settimane.

b. Oggi non ho voglia di andare al museo, _____ domani.

c. Quest'albergo mi piace: _____ ancora due notti.

d. Franco e Carla sono al mare e _____ fino a domenica.

e. Abbiamo una casa a Bardolino e _____ tutte le domeniche.

f. Stiamo bene in quest'albergo, vero? _____ anche in settembre?

(8)   **DETTATO**

▲ ____ _____ ____ _____ _____ e poi ___ ____ pochino avanti

e sulla destra ____ _____ _____ …

■ ___ .

▲ … la segue e arriva a ____ _____, ___ _____ Campo de'

Fiori, e la riconosce _____ ___ ____ mercato.

■ Bene …

▲ La attraversa e arriva a _____ _____ _____ , Piazza Farnese.

___ _____ bella _____ ___ ___ palazzo ___ _____ fontane. _____ arriva

in fondo alla _____ , e a sinistra ____ ____ _____ . ____ _____

_____ a Palazzo Spada?

■ ___ , ___ .

▲ _____ ___ _____ _____ _____ e arriva a Piazza Capo

di Ferro. Palazzo Spada è lì, lo vede.

Lei	va un pochino avanti … prende questa strada … segue questa strada … arriva a una piazza … attraversa la piazza …	Sulla	sinistra destra	c'è una strada.
		A	sinistra destra	ci sono due fontane.

Palazzo Spada Piazza Farnese	è lì	lo la	vede.
I Musei Vaticani Le Terme di Caracalla	sono lì	li le	

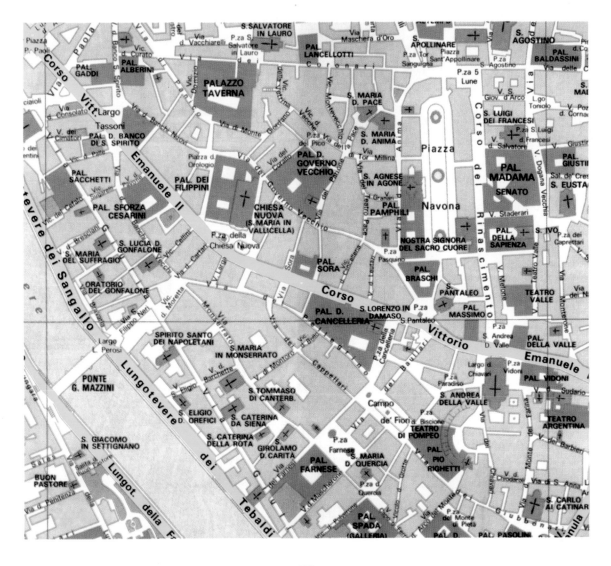

⑨ **ESERCIZIO**

Completate le frasi con *lo, la, li, le*.

a. Vede quella strada? Lei _____ segue fino alla piazza e lì c'è la stazione.

b. Ecco l'autobus. Lei _____ prende e scende alla terza fermata.

c. I giardini pubblici sono in fondo alla strada, _____ vede subito.

d. Lei segue questa strada e arriva alle Catacombe di S. Callisto, _____ vede subito.

e. Lei arriva al ponte, _____ attraversa e poi va ancora avanti.

⑩ **ESERCIZIO**

a. Guardate questi disegni

andare dritto

incrocio

traversa

angolo

girare
a sinistra  girare
a destra

semaforo

b. Ascoltate più volte il messaggio.

🔲 27 **c.** Questo è il quartiere dove abita
Andrea. Segnate sulla piantina
i nomi delle strade e accompagnate
Marisa a casa di Andrea.

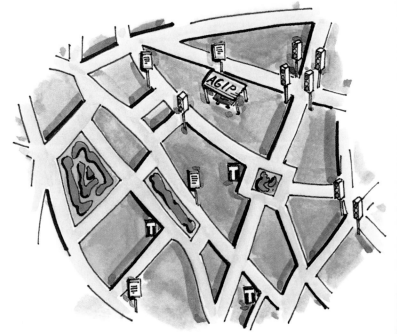

(11) **ESERCIZIO**

Mettete in ordine le frasi dell'ultima parte del messaggio.

Se hai fame,

lì ci sono delle uova

Senti,

apri il frigorifero:

Ciao

io esco dall'ufficio alle 7.30

e dei pomodori

andiamo a prendere una pizza.

e vengo subito a casa.

e in cucina c'è del pane.

Va bene?

Altrimenti mi aspetti e, quando torno,

Nel frigorifero ci sono **delle** uova e **dei** pomodori.
In cucina c'è **del** pane.

(12) **ESERCIZIO**

Guardate il frigorifero. Che cosa c'è?

Ci sono:
delle uova

C'è:
del tonno

55

E ADESSO TOCCA A VOI!

1. Dite ad un compagno di corso come arrivare dalla scuola a casa vostra.
Spiegate:
  a. che mezzi pubblici deve prendere,
  b. dove deve scendere,
  c. che strada deve fare dalla fermata a casa vostra.

2. Scrivete ad un amico come arrivare:
  a. in una casa dove passate le vacanze.
  b. in un albergo / ristorante che consigliate.

 LETTURA

Paese che vai, orari che trovi.

In Italia nei giorni feriali i negozi sono aperti generalmente di mattina dalle 9.00 alle 13.00 e di pomeriggio dalle 16.00 alle 20.00, ma gli orari possono cambiare da città a città.
Nelle grandi città alcuni grandi magazzini, come per esempio la Rinascente e l'Upim, hanno l'orario continuato, cioè sono aperti tutto il giorno. Durante la settimana i negozi sono chiusi per mezza giornata, in genere il lunedì mattina, mentre per gli alimentari la mezza giornata di chiusura varia da città a città.
Le banche la mattina sono aperte dalle 8.30 alle 13.00 ed anche il pomeriggio per un'ora circa. L'orario di apertura degli uffici postali è di solito dalle 8.00 alle 14.00. Le farmacie seguono in genere l'orario dei negozi. Quelle di turno sono aperte anche nei giorni festivi e di notte.
In Italia le edicole sono aperte anche la domenica mattina perché quasi tutti i quotidiani italiani escono ogni giorno.
Tutti i bar e i ristoranti hanno a turno un giorno di riposo. I distributori chiudono all'ora di pranzo e riaprono verso le 16.00, tranne in autostrada, dove le stazioni di servizio sono aperte 24 ore su 24.

Completate.

a. Non chiudono all'ora di pranzo:

_____

b. Aprono sempre, anche la domenica:

_____

c. Ogni settimana sono chiusi per un giorno:

_____

d. Ogni settimana sono chiusi per mezza giornata:

_____

e. Il pomeriggio aprono solo per un'ora:

_____

Quasi **tutti i** quotidian. escono **ogni** giorno.

 ESERCIZIO

Trasformate le frasi secondo il modello.

> _Ogni_ anno vado in vacanza in agosto.
> _Tutti gli_ anni vado in vacanza in agosto.
>
> _Tutte le_ sere vado a letto alle 10.
> _Ogni_ sera vado a letto alle 10.

a. Vado in chiesa tutte le domeniche.
b. In ogni città c'è un ufficio postale.
c. Ogni sera guardiamo la TV.
d. Faccio la doccia tutte le mattine.

e. Ogni anno in estate passo 15 giorni al mare.
f. Ogni giorno faccio mezz'ora di jogging.
g. In tutti i bar c'è il listino prezzi.

(16) **TEST**

I. Qual è il contrario di … ?

lontano	_____	a destra	_____
grande	_____	in macchina	_____
facile	_____	aprire	_____
chiuso	_____	entrare	_____
feriale	_____	venire	_____

II. Completate le frasi con le parole mancanti.

a. Per arrivare _____ albergo Belvedere andate _____ al semaforo

e poi _____ a destra. _____ dritto e dopo circa

cinquanta metri ____ vedete.

b. La Chiesa di S. Filippo è ____ vicino. Deve _____ la prima

strada a sinistra, poi va dritto per venti metri e, _____ angolo con

Via Mazzini, _____ ancora a sinistra. La chiesa è lì, ____ vede subito.

c. La mattina i negozi sono aperti generalmente _____ 9.00 _____ 13.00.

Il _____ aprono _____ 16.00 e _____ _____ 20.00. La

Standa* invece ha l'orario _____.

d. La domenica _____ le edicole sono _____ perché i

_____ in Italia escono _____ giorno.

* Standa = un grande magazzino

Il colore non mi piace

Un signore va in un negozio di abbigliamento
per cambiare qualcosa.

(1) **QUESTIONARIO**

a. Il cliente vuole cambiare

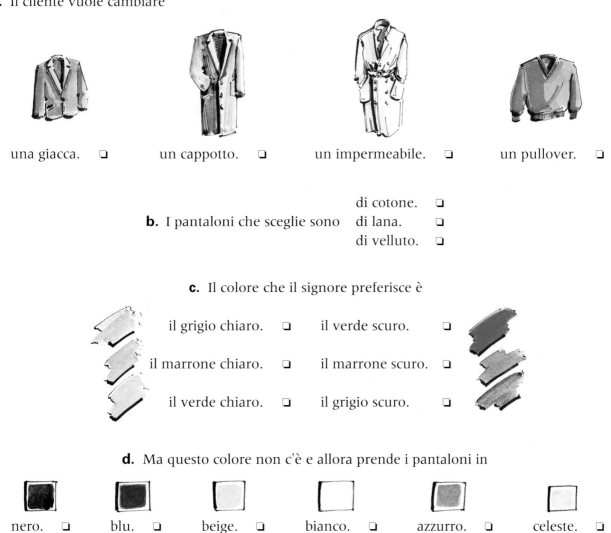

una giacca. ❏   un cappotto. ❏   un impermeabile. ❏   un pullover. ❏

b. I pantaloni che sceglie sono
- di cotone. ❏
- di lana. ❏
- di velluto. ❏

c. Il colore che il signore preferisce è

il grigio chiaro. ❏   il verde scuro. ❏

il marrone chiaro. ❏   il marrone scuro. ❏

il verde chiaro. ❏   il grigio scuro. ❏

d. Ma questo colore non c'è e allora prende i pantaloni in

nero. ❏   blu. ❏   beige. ❏   bianco. ❏   azzurro. ❏   celeste. ❏

e. Il signore compra ancora

una camicia. ❏   una cravatta. ❏   delle calze. ❏   una cintura. ❏   una sciarpa. ❏

② DIALOGO

■ Buongiorno.

● Buongiorno. Dica.

■ Senta, ieri mia moglie mi ha comprato questo pullover. Però è un po' grande e poi, detto tra noi, il colore non mi piace per niente.

● Non Le piace.

■ E allora, non so, si può cambiare?

● Beh, si può cambiare se Lei ha lo scontrino.

■ Come no! Eccolo qua.

| Questo pullover **non mi piace.** | **Si può** | cambiare? |
| Questi pantaloni **non mi piacciono**. | **Si possono** | |

③ ESERCIZIO

Ripetete il dialogo secondo il modello.

> ○ Senta, ieri *mia moglie* Ⓐ mi ha comprato quest*o pullover* Ⓑ.
> Però, è un po' *grande* Ⓒ; e poi, detto tra noi, *il colore* Ⓓ non mi *piace* per niente.
> □ Non Le *piace*.
> ○ E allora, non so, si *può* cambiare?

Ecco le variazioni che potete fare:

Ⓐ	Ⓑ	Ⓒ	Ⓓ
	vestito		
marito	cappotto	stretto	modello
madre	camicia	lungo	stoffa
fratello	pantaloni	largo	colore
sorella	camicetta	corto	fantasia
padre	guanti	piccolo	tasche
	gonna		bottoni

(4) **DIALOGO**

■ Vorrei vedere quei pantaloni di velluto a coste che sono in vetrina.

● Quali? Quelli verdi?

■ Quelli verdi, esattamente. C'è quel verde scuro che mi piace molto.

● Va bene. E che taglia porta?

■ La 50.

● La 50? Sicuro? La 50 mi sembra un po' grande per Lei.

■ Beh, li provo.

● D'accordo. Attenda un attimo. … Ecco. Se vuole provarli, lì c'è il camerino.

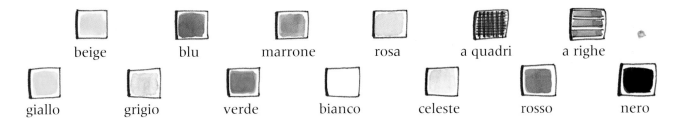

beige   blu   marrone   rosa   a quadri   a righe

giallo   grigio   verde   bianco   celeste   rosso   nero

Vorrei vedere	quei	pantaloni di velluto.	Quali?	Quelli verdi?
	quegli	shorts di cotone.		Quelli gialli?
	quelle	magliette di cotone.		Quelle a righe?
	quello	scialle di seta.	Quale?	Quello a fiori?
	quel	pullover di lana.		Quello rosa?
	quell'	impermeabile di goretex.		Quello blu?
	quella	gonna di lino.		Quella verde?

(5) **ESERCIZIO**

Guardate la vetrina, scegliete qualcosa e poi ripetete il dialogo fino a «esattamente».

| Ecco | i pantaloni.
le camicie. | Se vuole | provarli,
provarle, | lì c'è il camerino. |
| | la giacca.
il pullover. | | provarla,
provarlo, | |

(6)   **ESERCIZIO**

Che cosa dice la commessa?

(7)   **E ADESSO TOCCA A VOI!**

A Lei entra in un negozio per cambiare qualcosa che Le ha comprato un Suo parente o conoscente.
Vede un'altra cosa che Le piace e chiede di provarla.

B Lei lavora in un negozio di abbigliamento e serve un/una cliente che vuole cambiare qualcosa.
Si informi se ha lo scontrino e poi lo/la consigli.

SERVIZI CORTESIA

Scelgo i miei abiti in Rinascente anche perché fanno gratuitamente le modifiche.

Vado spesso in Rinascente anche perché le prime due ore di parcheggio sono gratuite.

Compro in Rinascente anche perché se cambio idea su un acquisto me lo cambiano senza problemi.

TAGLIE PIU'

Mi vesto in Rinascente anche perché l'ultima moda esiste anche nelle taglie comode.

CARTA DI CREDITO Acquisto volentieri in Rinascente anche perché pago con la carta di credito o con un assegno.

*la***Rinascente**

S C O P R I   S E M P R E   U N ' I D E A.

⑧ ## LETTURA

È vero?

Chi compra alla Rinascente ...

	v	f
... paga poco per le modifiche.	❑	❑
... può lasciare la macchina tutto il giorno nel parcheggio senza pagare una lira.	❑	❑
... trova tutte le taglie, anche quelle grandi.	❑	❑
... può pagare anche con la carta di credito.	❑	❑
... ha tre giorni di tempo per cambiare le cose che ha comprato.	❑	❑

Alla Rinascente	**fanno** le modifiche **gratuitamente**.
	le prime due **ore** di parcheggio sono **gratuite**.

⑨ ## ESERCIZIO

Completate le frasi con l'avverbio o con l'aggettivo.

a. △ Vorrei una birra, ma fredd_____, mi raccomando!
△ Mario mi saluta sempre fredd_____.

b. △ La camera è silenzios_____ perché dà sul parco.
△ Se arrivate tardi, entrate silenzios_____.

c. △ Si può pagare comod_____ con la carta di credito.
△ Alla Rinascente hanno anche le taglie comod_____.

d. △ Abito in una città molto tranquill_____.
△ In questa stanza si dorme tranquill_____.

DIALOGO

■ Signorina?

● Sì?

■ Ha ragione Lei. I pantaloni sono un po' larghi di vita.
Posso provare la 48?

● La 48 però in questo colore non c'è. Abbiamo una tonalità più chiara,
questo verde chiaro. Oppure ci sono quelli neri.

■ Mah, questo verde chiaro è un colore un po' strano.

● Non Le piace?

■ No. Allora provo quelli neri.

Una tonalità più < chiara.
              scura.

Un modello più < sportivo.
             elegante.

Una taglia più < grande.
             piccola.

ESERCIZIO

Ripetete il dialogo fino a «tonalità più chiara». Variate
i capi di abbigliamento, i difetti e la taglia.

lunga di maniche

larga di vita

largo di spalle

larghi di cavallo

corta di maniche

stretta di collo

(12)

DIALOGO

● Vanno bene i pantaloni?
■ Beh, veramente questi sono un po' lunghi.
● Non c'è problema. Si possono accorciare.
■ Potete farlo voi?
● Certo. Prendo subito le misure.

(13)

ESERCIZIO

Completate lo schema.

Aggettivo	Verbo
corto	_____
_____	allungare
_____	stringere
_____	allargare

(14)

ESERCIZIO

Ripetete il dialogo e variate i capi di abbigliamento ed i difetti.

a. gonna   larga
b. giacca   stretta
c. impermeabile   lungo
d. vestito   stretto
e. pantaloni   lunghi

DETTATO

● Le occorre qualcos'altro?

■ Sì. _____ _____ _____ _____?

● _____. Faccia pure.

■ C'è _____ _____ che non è male. Quanto costa?

● _____ viene 96.000 lire.

■ Ah, però! ___ ____ _____ _____, eh?

● Beh, ____ ___ proprio economica, ____ ___ proprio a buon mercato.

Però, insomma, è di puro cotone. _____ per _____ _____. _____

poi ___ ____ modello nuovo, _____?

Le occorre qualcos'altro?

Quanto	costa	questa camicia?
	viene	questo cappello?
	costano	questi guanti?
	vengono	queste calze?

ESERCIZIO

Questi capi di abbigliamento sono cari, ma c'è un motivo.
Ripetete il dettato da «C'è...».

Articolo	Prezzo	Motivo
calze	L. 39.000	pura seta, ultimo modello
pullover	L. 395.000	cachemire, colore nuovo
pantaloni	L. 450.000	lana, firmati
camicia	L. 130.000	puro lino, fantasia nuova
camicetta	L. 250.000	pura seta, ricamata a mano
cappotto	L. 980.000	cammello, rifinito a mano

(17)   **ESERCIZIO**

Cercate nei dialoghi e nel dettato le seguenti espressioni.
Come direste nella vostra lingua?
Scrivetelo qui sotto.

       ○ Faccia pure!   _____

       ○ Però, insomma...   _____

       ○ Ah, però!   _____

       ○ Certo!   _____

       ○ Come no?!   _____

       ○ Esattamente   _____

(18)   **ESERCIZIO**

Inserite adesso queste espressioni nelle seguenti frasi.

a. □ Potrei fare colazione alle sei   △ _____. Non c'è problema.
domani mattina?

b. □ Via Giulia è la terza a destra, vero?   △ _____. È la terza strada a
destra.

c. □ Scusi, posso fare una telefonata?   △ Prego, _____

d. □ Mah … non so … dici che questa   △ _____ È proprio la
gonna va bene di lunghezza?   lunghezza giusta!

e. □ Mario non ha più la Volvo. Adesso △ _____
ha una Ferrari.

f. □ Un caffè 12.000 lire!   △ Sì, è troppo, lo so, _____
siamo in Piazza S. Marco, c'è
anche l'orchestra, l'atmosfera …

(19)

E ADESSO TOCCA A VOI!

A Lei entra in un negozio di abbigliamento, chiede di provare qualcosa che ha visto in vetrina e vede però che non Le sta bene. Chiede poi al commesso/alla commessa di mostrarLe qualcos'altro.

B Lei lavora in un negozio di abbigliamento. Per ogni capo di abbigliamento acquistato dai clienti Lei riceve il 10% sul prezzo di listino. Adesso entra una persona che si rivolge subito a Lei.

LETTURA

32 ABBIGLIAMENTO

1 BELLA giacca di lana a grandi quadri, taglia 52, pagata L. 180.000, vendo a L. 80.000, vero affare.
Ore pasti ☎ 0461-23 85 79

2 GIACCA uomo taglia 48 pura lana, usata pochissimo, color grigio / verde salvia, vendo a L. 80.000.
Ore pasti ☎ 0461-86 61 55

3 VENDO due paia di stivali n. 41, uno in pelle, uno in camoscio a L. 45.000 cadauno. **☎ 0461-33 46 81**

4 ABITO da sposa bellissimo nuovo indossato per tre ore tg. 44, pagato L. 1.800.000 a L. 600.000 tratt. vendo. **Ore serali ☎ 0471-97 46 81**

5 GIUBBOTTO impermeabile foderato in pelo sintetico, colore marrone chiaro, taglia 52, vendo a L. 50.000. Ottimo stato. **☎ 0461-91 24 61**

6 SCARPE in vitello da donna a tacco alto, nuove, mai usate, eleganti a sole L. 50.000, vendo. **☎ 0461-60 51 08**

7 BORSETTA tracolla vera pelle, colore cuoio, seminuova, vendo a L. 90.000.
Ore pasti ☎ 0461-93 27 91

8 GIACCA a vento colore azzurro taglia 52 / 54 nuova vendo a L. 150.000.
☎ 0471-89 23 24

9 TUTA sci uomo tg. 52, ottimo prezzo, vendo. **Ore pasti ☎ 0471-92 01 10**

a. Abbinate gli annunci ai disegni.

b. Completate adesso il seguente schema.

annuncio	articolo	colore	tessuto materiale	taglia numero	prezzo
N° 1					
N° 2					
N° 3					
N° 4					
N° 5					
N° 6					
N° 7					
N° 8					
N° 9					

(21)

TEST

I. Qual è il contrario di?

scuro _____   caro _____

lungo _____   stretto _____

sportivo _____   grande _____

II. Inserite il verbo *piacere* e completate le frasi con le desinenze del dimostrativo *quello* e degli aggettivi.

   a. Ti _____ que___ pantaloni bianc___?

   b. Que___ pullover verd___ non mi _____.

   c. Franco, ti _____ que___ camicia ros___?

   d. Signora, Le _____ que___ stivali ner___?

   e. Mi _____ molto que___ impermeabile grig___.

III. Completate con le preposizioni.

   a. Vorrei vedere quella giacca ____ lino che è ____ vetrina.

   b. Questa gonna è troppo cara e poi, detto ____ noi, non mi piace.

   c. La giacca è un po' stretta ____ spalle.

   d. La taglia 50 mi sembra un po' grande ____ Lei.

   e. C'è quella fantasia ____ fiori che mi piace molto.

   f. Questa tonalità ____ marrone non mi piace ____ niente.

   g. La camicia è cara, ma è ____ puro cotone, cento ____ cento cotone.

   h. Qui i pullover sono veramente ____ buon mercato.

La Sicilia ti è piaciuta?

Chiara telefona ad Alfredo.

  ① 34

QUESTIONARIO

Vero o falso?   v   f

a. Alfredo è stato in montagna.   ❏   ❏
b. Chiara è stata in Sicilia per lavoro.   ❏   ❏
c. In Sicilia il tempo è stato bello.   ❏   ❏
d. Per il viaggio Chiara ha pagato molto.   ❏   ❏
e. Alfredo invita Chiara all'Arena.   ❏   ❏
f. Lo spettacolo comincia alle 21.15.   ❏   ❏
g. Chiara vuole incontrare Alfredo in un bar.   ❏   ❏
h. In piazza dei Signori c'è un monumento.   ❏   ❏
i. Chiara prende la macchina.   ❏   ❏

(2)

DIALOGO

● Senti, Alfredo, io ti ho telefonato tante
volte ieri e l'altro ieri perché ho sentito il
messaggio sulla mia segreteria telefonica.

■ Eh sì, ma io sono stato in campagna perché
c'è stata una grande festa. Sai, mia madre
ha compiuto gli anni, 70 anni, e allora
abbiamo fatto una festa e abbiamo invitato
i parenti. Sai, sono venuti gli zii, i cugini, le
cugine. Tutta la famiglia insomma.

Io ti **ho** telefon**ato**.	-are → **-ato**
Io **ho** sent**ito** il messaggio.	-ire → **-ito**
Mia madre **ha** compi**uto** 70 anni.	-ere → **-uto**
Io **sono stato** in campagna.	essere
C'è stata una festa.	esserci
Sono venuti gli zii.	venire
Abbiamo fatto una festa.	fare

(3)

ESERCIZIO

Ieri avete lasciato un messaggio ad un amico che oggi telefona e dice:
«Ieri sera ti ho telefonato perché ho sentito il messaggio sulla mia segreteria telefonica.»

Che cosa rispondete? Completate le frasi con i verbi *avere*,
essere, *esserci* e con le desinenze del participio passato.

a. Eh sì, ma io _____ andat___ a Milano perché _____ stat___
un congresso di informatica.

b. Eh sì, ma ___ venut___ mio padre e _____ andat___ in centro.

c. Eh sì, ma io _____ tornat___ a casa alle 10.00 perché _____

lavorat___ fino a tardi.

d. Eh sì, ma ieri sera mi ____ telefonat___ Dario e poi noi _____

andat___ al cinema.

e. Ma io _____ stat___ tutta la sera a casa, forse non ____ sentit___ il telefono.

(4) DIALOGO

■ Senti, sei stata ancora in giro per lavoro?
● No, no. Sono andata in vacanza, caro mio.
■ Ah, in vacanza. Bene. E dove?
● Sono stata in Sicilia perché ho vinto un viaggio-premio dell'azienda.
■ Ah, bene, bene. Ma da sola?
● No, no. Con alcuni colleghi sempre dell'azienda. È stato, guarda,
un viaggio splendido.

(5) ESERCIZIO

Queste persone vanno spesso in giro per lavoro.
Questa volta però ...

> andare in vacanza – Sicilia – viaggio splendido
>
> ☐ Sei stata ancora in giro per lavoro?
> ○ No, *sono andata in vacanza*.
> ☐ Ah, bene. E dove?
> ○ *In Sicilia*. È stato, guarda, un *viaggio splendido*.

Fate le domande e rispondete secondo il modello.

 a. frequentare un corso di restauro – Toscana – esperienza unica

 b. essere al mare – Corsica – vacanza favolosa

 c. andare in montagna – Cortina – fine settimana stupendo

 d. stare in un villaggio turistico – Sardegna – settimana magnifica

 e. andare in vacanza – Grecia – viaggio meraviglioso

73

(6) DIALOGO

Isole Ègadi

Isole Eolie o Lipari

Trapani Palermo

Caltanissetta Messina

Agrigento Enna M. Etna

I. di Pantelleria Catania

Sicilia

Ragusa Siracusa

0 100 200 km

■ E dove siete stati in Sicilia?
● Mah, guarda, praticamente abbiamo girato tutta l'isola. E abbiamo visto le città più importanti: Palermo, Catania, Agrigento. Poi siamo anche saliti sull'Etna.
■ Ah, però!
● Uno spettacolo splendido da lassù. Veramente unico.
■ Ho capito. Insomma la Sicilia ti è piaciuta.
● Moltissimo. Moltissimo.

Abbiamo visto **le città più importanti**.

(7) ESERCIZIO

Fate dei dialoghi secondo il modello.

> □ E dove siete stati *in Sicilia*?
> ○ Mah, guarda, praticamente abbiamo girato *tutta l'isola*.
> E *abbiamo visto le città più importanti*: *Palermo, Catania, Agrigento*. Poi *siamo* anche *saliti sull'Etna*.

a. a Roma – girare tutta la città
— vedere – monumenti famosi: San Pietro, il Colosseo, la Fontana di Trevi
— vedere il Papa

b. alle Eolie – girare tutto l'arcipelago
— visitare – isole solitarie: Alicudi e Filicudi
— fare lo sci acquatico

c. negli Stati Uniti – girare tutto il paese
— vedere – posti famosi: il gran Canyon,
le cascate del Niagara, il deserto del Nevada
— stare a Disneyland

La Sicilia			**è piaciut*a*?**
Il viaggio	**ti**		**è piaciut*o*?**
	Le		
I templi	**vi**		**sono piaciut*i*?**
Le città			**sono piaciut*e*?**

> Moltissimo.
> Abbastanza.
> Così, così.
> Per niente.

 8

ESERCIZIO

Domandate con il verbo *piacere* e rispondete.

> ☐ Napoli ti è piaciuta? ○ Abbastanza.

a. Roma

b. Gli Stati Uniti

c. Le isole Eolie

d. La Toscana

e. Il Veneto

f. Gli Uffizi

g. I Musei Vaticani

h. La festa

i. Il film

j. Il libro

k. Le vacanze

DETTATO

■ Senti, ma ___ _____ caro il viaggio? _____ _____ molto?

● No, no. _____ completamente gratis.

■ Ah già, è vero. ____ _____ l'azienda.

● Certo, certo. Io non _____ _____ niente.

■ Però, però. _____ proprio la _____ vita, eh?

● La _____ vita, la _____ vita.

■ Quindi ottimi _____.

● Ottimi _____, ottimi _____. ____ _____ in modo favoloso e _____ _____ in modo ancora più favoloso.

Io **non** ho pagato **niente**.

ESERCIZIO

Completate le frasi con i verbi *capire, fare, mangiare, preparare* e *sentire*.

> Chiara è andata in vacanza in Sicilia. È stato un viaggio premio e *non ha pagato niente*.

a. Ieri notte in albergo hanno festeggiato fino alle tre, ma io ho dormito benissimo _____.

b. Oggi Franco ha guardato tutto il giorno la TV, in casa _____.

c. Per la festa abbiamo ordinato tutto al ristorante, noi _____.

d. Marisa ha fatto una dieta, per una settimana ha bevuto solo tisane _____.

e. Ieri la lezione di chimica è stata veramente difficile, gli studenti _____.

Cercate nei dialoghi e nel dettato le seguenti espressioni.
Come direste nella vostra lingua?
Scrivetelo qui sotto.

     ○ Ah, però!   _____

     ○ Ah, già, è vero!   _____

     ○ Quindi   _____

(12)   **ESERCIZIO**

Inserite adesso queste espressioni nelle seguenti frasi.

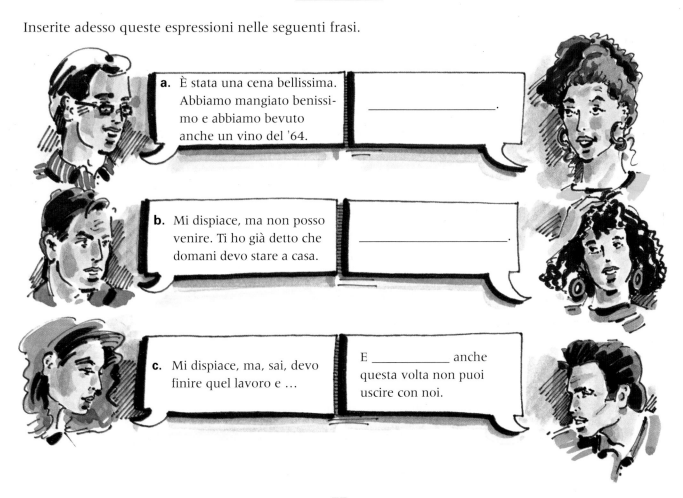

a. È stata una cena bellissima. Abbiamo mangiato benissimo e abbiamo bevuto anche un vino del '64.

_____.

b. Mi dispiace, ma non posso venire. Ti ho già detto che domani devo stare a casa.

_____.

c. Mi dispiace, ma, sai, devo finire quel lavoro e …

E _____ anche questa volta non puoi uscire con noi.

77

(13)   **LETTURA**

Trieste, 26 settembre

Caro Andrea,

il mio silenzio è durato davvero molto, ti devo ancora ringraziare per la bella cartolina che mi hai scritto da Parigi, e non solo per questo. Tre giorni fa infatti ho ricevuto anche il tuo pacco con le fotografie (bellissime!) ed il libro, che naturalmente ho subito cominciato a leggere (ho già letto i primi due capitoli). Quando è arrivato il pacco, ho cercato di telefonarti, ma a casa tua non ha risposto nessuno. Così ho deciso di scriverti. Come stai? Che hai fatto in estate? Sei andato poi in Grecia con la moto?

Quest'estate io non ho fatto niente di speciale. Sono rimasta quasi tutto il tempo qui a Trieste e ho continuato a studiare per l'università. (Fra due o tre settimane ci sono gli esami!)

Naturalmente, anche se ho studiato, sono stata spesso al mare, il pomeriggio o la domenica. Il giorno di Ferragosto sono andata a trovare degli amici in montagna, sulle Dolomiti, ed ho passato una bellissima giornata insieme a loro. La mattina abbiamo preso la funivia a Cavalese e siamo saliti sul Cermis. Non ti dico che sole e che aria! Abbiamo camminato per circa due ore ed infine siamo arrivati al lago di Lagorai, dove abbiamo fatto un picnic. Quando abbiamo finito di mangiare, abbiamo dormito un po' sotto gli alberi, poi alcuni hanno cominciato a giocare a carte ed altri a cantare. Nel pomeriggio siamo scesi a valle attraverso un bosco e lì abbiamo trovato anche dei funghi.

Adesso che l'estate è finita e che è cominciato l'autunno, anche il tempo è cambiato. Qui fa già un po' freddo e da due giorni inoltre piove e tira vento. Alla televisione ho visto che invece da voi in Calabria il tempo è ancora bello e che la gente fa ancora il bagno. Non puoi immaginare come vi invidio! Adesso che ti ho raccontato un po' di me, aspetto una tua lettera o una tua telefonata. Ancora grazie di tutto. Un caro abbraccio e a presto!

Mirella

Vero o falso   v   f

a. Mirella ringrazia Andrea per una lettera.   ❏   ❏
b. Mirella ha parlato al telefono con Andrea.   ❏   ❏
c. Andrea è stato in Francia.   ❏   ❏
d. Mirella è una studentessa universitaria.   ❏   ❏
e. Mirella ha passato l'estate in montagna.   ❏   ❏
f. Il giorno di Ferragosto ha fatto un picnic con amici.   ❏   ❏
g. Hanno anche trovato dei funghi nel bosco.   ❏   ❏
h. Adesso a Trieste il tempo è bello.   ❏   ❏

verbi con essere
è durato

verbi con avere
hai scritto

 (14)   **ESERCIZIO**

Nella lettera di Mirella ci sono dei verbi al passato. Alcuni
sono coniugati con *essere* ed altri con *avere*. Dividete un
foglio di quaderno in due parti. Scrivete su una colonna
i verbi con l'ausiliare *essere* e sull'altra quelli con *avere*.

> **Abbiamo finito** di mangiare.   L'estate **è finita**.
> **Hanno cominciato** a giocare a carte.   **È cominciato** l'autunno.

(15)   **ESERCIZIO**

Coniugate nelle frasi i verbi *essere* o *avere* e completate il participio con la desinenza corrispondente.

> Il film *è* comincia*to* alle otto.
> Maria non *ha* fini*to* gli studi.

a. L'Aida _____ finit___ dopo mezzanotte.

b. Le vacanze _____ finit___ .

c. Noi _____ finit___ di lavorare.

d. Il film _____ già cominciat___ .

e. Franca _____ cominciat___ a studiare l'inglese.

f. Come sempre Giorgio _____ cominciat___ a parlare di macchine.

> Tre giorni **fa** ho ricevuto il tuo pacco.
> **Fra** due settimane ci sono gli esami.
> **Da** due giorni piove e tira vento.

(16)   **ESERCIZIO**

Da, fra o *fa*? Rispondete secondo il modello.

> △ Quando sei arrivato? (due ore)   □ Due ore *fa*.

a. Da quanto tempo abitate qui? (sei mesi)
b. Quando vai a Vienna? (tre settimane)
c. Quando sei tornata da Londra? (quattro giorni)

d. Quando avete finito di studiare? (un'ora)
e. Da quanto tempo guardano la televisione i bambini? (mezz'ora)
f. Quando è arrivato il pacco? (due giorni)

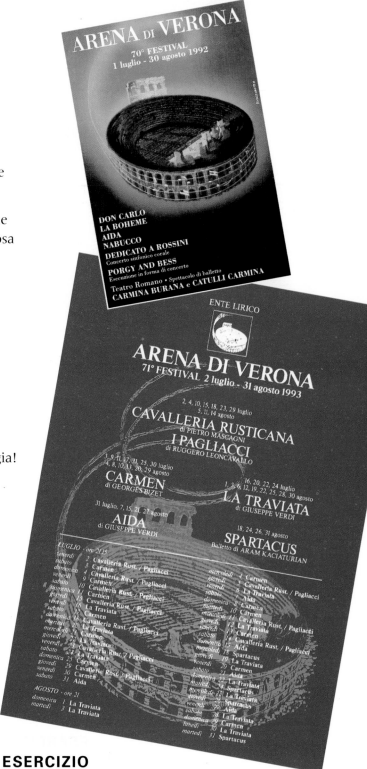

⑰   E ADESSO TOCCA A VOI!

a. Raccontate ad un compagno come avete passato il fine settimana.

b. In una lettera ad un amico scrivete come avete passato le vacanze o raccontate cosa avete fatto durante una gita.

⑱   DIALOGO

■ Senti ho due biglietti per andare a vedere l'Aida all'Arena.
● Quando?
■ Domani sera.
● Ah, domani?
■ Sì. Non puoi?
● Veramente avrei un impegno. Mannaggia! Ma forse, forse potrei rimandarlo …
■ Ho capito. Beh, vedi un po', sai, è un'occasione da non perdere …
● Ma sì, sì. Va bene.
■ Oh, perfetto, benissimo.

⑲   ESERCIZIO

Ripetete il dialogo con i seguenti elementi.

      a. La Carmen / La Scala / sabato sera / appuntamento
      b. Via col vento / cinema Rex / stasera / incontro di lavoro
      c. Il Faust / teatro comunale / lunedì pomeriggio / riunione
      d. La partita / stadio Olimpico / domenica / un pranzo di affari
      e. La Vedova Allegra / Teatro Argentina / mercoledì / impegno
      f. Il Lago dei Cigni / Terme di Caracalla / dopodomani / cena di lavoro

DIALOGO

■ Bene, a questo punto io direi di vederci forse
un pochino prima, così mangiamo qualcosina.
● Sì, io direi forse tra le sette e mezzo e le otto. Va bene?
■ Benissimo. Dove?
● Mah. Al bar Dante?
■ Il bar Dante qual è? Aspetta.
● Quello in piazza Dante, dove c'è il monumento.
■ Ah, piazza dei Signori vuoi dire?
● Ah, hai ragione. Sì, sì, piazza dei Signori.
Io faccio confusione.

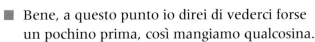

Tra le sette e mezzo **e le** otto.

ESERCIZIO

Ripetete il dialogo (fino a *monumento*) cambiando gli orari e i posti.

a. 16.00 – 16.30 bar Jolly – piazza Mazzini – Alitalia
b. 17.45 – 18.15 Caffè Margherita – viale Europa – Sip
c. 19.30 – 19.45 bar Primavera – viale Colombo – torre
d. 13.00 – 13.30 bar Globo – via de Carolis – cinema Aurora
e. 18.00 – 18.30 Caffè Luna – piazza Bellini – Ente per il Turismo
f. 20.00 – 20.30 Caffè Verdi – piazza Roma – università

ESERCIZIO

Cercate nei dialoghi e nel dettato le seguenti espressioni.
Come direste nella vostra lingua?
Scrivetelo qui sotto.

○ Veramente _____

○ Mannaggia! _____

○ Vedi un po' _____

○ Direi _____

○ Mah _____

ESERCIZIO

Inserite adesso queste espressioni nelle seguenti frasi.

a. ○ Andiamo a vedere «Le Nozze di Figaro»?

□ _____ l'opera non mi piace molto.

b. △ Domenica faccio una festa in maschera. Vieni anche tu?

○ Domenica? _____ Non posso. Domenica devo lavorare!

c. □ Sabato? Mi dispiace, sabato ho già un impegno.

○ Beh, _____, sai, è il compleanno di Mario.

d. □ Chi invitiamo alla festa?

○ _____, io _____ di non invitare troppe persone.

e. ○ Che facciamo stasera?

△ _____, non lo so, andiamo al cinema? Ti va?

ESERCIZIO

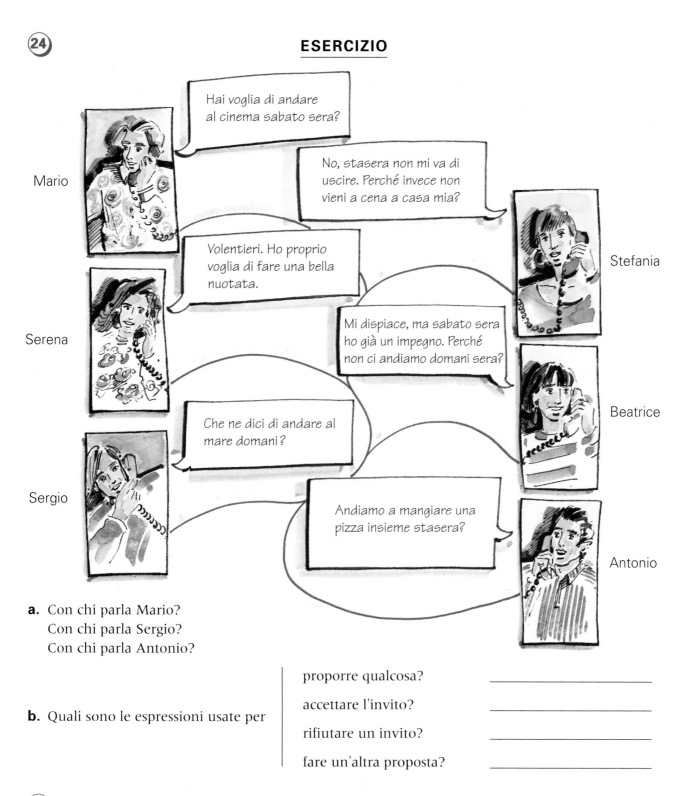

Mario: Hai voglia di andare al cinema sabato sera?

Stefania: No, stasera non mi va di uscire. Perché invece non vieni a cena a casa mia?

Serena: Volentieri. Ho proprio voglia di fare una bella nuotata.

Beatrice: Mi dispiace, ma sabato sera ho già un impegno. Perché non ci andiamo domani sera?

Sergio: Che ne dici di andare al mare domani?

Antonio: Andiamo a mangiare una pizza insieme stasera?

a. Con chi parla Mario?
Con chi parla Sergio?
Con chi parla Antonio?

b. Quali sono le espressioni usate per

proporre qualcosa? _____

accettare l'invito? _____

rifiutare un invito? _____

fare un'altra proposta? _____

E ADESSO TOCCA A VOI!

Invitate un compagno di corso al cinema, al ristorante, a teatro, al concerto …

TEST

I. Completate il testo con le parole mancanti.

Alfredo _____ telefonato a Chiara e ha _____ un messaggio

sulla _____ telefonica.

La madre di Alfredo _____ _____ 70 anni. Alla festa sono

_____ tutti i _____: gli zii, i cugini, tutta la famiglia insomma.

Chiara è _____ in vacanza. Ha _____ un viaggio premio ed è

_____ in Sicilia. _____ visitato le città _____ importanti ed

___ anche _____ sull'Etna.

Per il viaggio _____ ha pagato niente.

II. Ricomponete il dialogo.

Senti, ti telefono perché ho due biglietti
gratis per il concerto di Paolo Conte. Hai
tempo domani sera?

È un po' presto. Anche la lezione finisce alle
otto e mezza.

Va bene. Allora a domani alle otto. Ciao.

Mah … domani veramente avrei il corso di
francese. A che ora comincia il concerto?

Al Metropol. Se vuoi, possiamo incontrarci
sotto la scuola e poi andiamo a piedi. È lì
vicino.

Ma non puoi uscire mezz'ora prima?

Alle otto e mezza.

Mezz'ora prima? … Ma sì, va bene. Dov'è il
concerto?

In treno o in aereo?

Anna e Rita vogliono fare un viaggio e chiedono
informazioni in un'agenzia.

QUESTIONARIO

a. In quale città vogliono andare Anna e Rita? _____

b. In treno il biglietto di andata e ritorno
in prima classe costa

     257.150 lire. ❏
     267.250 lire. ❏
     277.350 lire. ❏

  Il biglietto di seconda classe costa

     158.100 lire. ❏
     168.200 lire. ❏
     178.300 lire. ❏

c. Di sera c'è un treno che parte alle _____ e arriva alle _____ .

d. Anna e Rita non prendono questo treno perché

     non ci sono cuccette. ❏

     arriva tardi. ❏

e. Di mattina c'è un treno che parte alle _____ ed un altro che parte alle _____ .

f. Per il secondo treno

     bisogna ❏
           pagare il supplemento.
     non bisogna ❏

g. I posti che Anna e Rita prenotano sono

     per fumatori. ❏

     per non fumatori. ❏

h. Anna e Rita pagano in tutto _____ .

(2)

DIALOGO

■ Senta, io vorrei qualche informazione.

● Benissimo, dica pure.

■ Che possibilità ci sono per andare a Monaco di Baviera?

● Come? In treno o in aereo?

■ Quanto costa in aereo?

● Mah. In aereo ci sono diverse tariffe. Le più economiche sono tutte intorno al mezzo milione.

■ Mezzo milione? No, per me è troppo.

Vorrei **qualche** informazion**e**.

(3)

ESERCIZIO

Trasformate le frasi secondo il modello.

Vorrei *delle* informazion*i*. → Vorrei *qualche* informazion*e*.

a. Vorrei dei dépliant di crociere.

b. Hai dei libri di storia?

c. Posso invitare degli amici?

d. Hai visto dei posti interessanti?

e. Avete fatto delle fotografie?

f. Ci sono dei treni prima delle otto?

g. Hai conosciuto degli italiani?

h. Ho comprato dei giornali per il viaggio.

 (4)

ESERCIZIO

Siete a Roma. Ripetete il dialogo con le seguenti destinazioni e tariffe.

DESTINAZIONE	TARIFFA AEREA
Parigi	intorno alle 700.000 lire
Zurigo	intorno alle 800.000 lire
Francoforte	intorno alle 600.000 lire
Berlino	intorno alle 700.000 lire
Milano	intorno alle 300.000 lire
Vienna	intorno alle 500.000 lire

(5) **DIALOGO**

■ Prendiamo il treno!
▲ Ma no, Anna, dai! In treno ci vuole
un sacco di tempo.
■ Quanto tempo ci vuole in treno?
● Mah, in treno ci vogliono circa 12 ore.
▲ Così tanto?
■ Ma dai! Il tempo passa in fretta.
Parliamo, leggiamo…
▲ E va bene.

| Quanto tempo **ci vuole** | in treno?
in aereo?
in macchina? | **Ci vuole** | un'ora.
mezz'ora.
un giorno. |
| | | **Ci vogliono** | 40 minuti.
due ore.
tre giorni. |

(6) **ESERCIZIO**

Domandate e rispondete secondo il modello.

> □ Quanto tempo ci vuole da *Roma* a *Monaco* in *treno*?
> ○ Ci vogliono *12 ore*.

a. Bologna – Milano – treno – circa 2 ore
b. Padova – Venezia – macchina – circa mezz'ora
c. Venezia – Milano – treno – 3 ore e 10 minuti
d. Bolzano – Trento – macchina – circa mezz'ora

e. Bolzano – Merano – treno – 40 minuti
f. Roma – Palermo – aereo – circa un'ora
g. Roma – Civitavecchia – treno – circa un'ora
h. Alghero – Roma – aereo – 55 minuti

87

(7)   **E ADESSO TOCCA A VOI!**

A Lei è a Palermo e vuole andare a Genova (oppure a Napoli). Va in un'agenzia di viaggi e chiede informazioni su collegamenti, prezzi e durata del viaggio.

B Lei lavora in un'agenzia di viaggi e risponde alle domande di un cliente / una cliente.

Palermo → Genova

	PREZZO	DURATA
aereo	L. 208.000	2.30 ore
treno	L. 114.000 (1ª classe) L. 67.000 (2ª classe)	20 ore
nave	L. 180.000 (cabina) L. 90.000 (poltrona)	23 ore

Palermo → Napoli

	PREZZO	DURATA
aereo	L. 119.000	45 minuti
treno	L. 66.100 (1ª classe) 38.900 (2ª classe)	11 ore
nave	L. 109.100 (cabina) L. 58.900 (poltrona)	10.30 ore

(8)   **DIALOGO**

▲ Può vedere se domani sera ci sono posti in vagone letto?

● Sì, un momento … No, mi dispiace, non ci sono posti in vagone letto. Guardiamo le cuccette?

▲ Sì.

● Allora, domani sera, alle 20.25. No. Niente cuccette. Mi dispiace, non ci sono cuccette. Però potete andare alla stazione lo stesso. C'è gente che all'ultimo momento non parte e così poi forse ci sono cuccette libere.

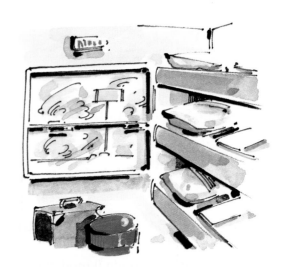

Può vedere se	**c'è** un posto **ci sono** posti	in prima classe? in seconda classe? accanto al finestrino? vicino al corridoio? per (non) fumatori? in vagone letto?
	c'è una cuccetta **ci sono** cuccette	in alto? in basso?

(9) **ESERCIZIO**

Fate il dialogo secondo il modello.

> domani – 20.30 – 2 cuccette – posti in vagone letto
>
> △ Può vedere se *domani sera* ci sono
> *2 cuccette*?
> ○ Sì, un momento … No, mi dispiace, non ci
> sono *cuccette*. Guardiamo se ci sono *posti
> in vagone letto*?
> △ Sì.

   a. domani –   7.24 – 5 posti per fumatori – per non fumatori
   b. venerdì –   9.15 – 2 posti in 2ª classe – 1ª classe
   c. domani – 20.25 – 3 cuccette in 1ª classe – in 2ª classe
   d. sabato – 23.10 – 1 cuccetta in alto – in basso
   e. domani – 17.45 – 1 posto accanto al finestrino – vicino al corridoio

(10) **ESERCIZIO**

Completate le frasi secondo il modello usando i seguenti verbi: *bere – comprare – mangiare – mettere – studiare – rivedere.*

> Gli spaghetti sono freddi, però io ho fame e *li mangio lo stesso.*

  a. Queste scarpe sono un po' scomode, però sono eleganti e io

     stasera _____.

  b. Ho già visto «Il Padrino», però mi è piaciuto moltissimo e io

     _____.

  c. Il tedesco è una lingua difficile, però è importante per il mio lavoro e io

     _____.

  d. Questa macchina è un po' cara, però mi piace e io _____

     _____.

  e. La birra non è tanto fredda, però io ho sete e _____.

  f. Il tonno non mi piace, però in casa non c'è altro e io _____

     _____.

LETTURA

Leggete la seguente pubblicità.

Novità per chi viaggia in Pendolino

Il pendolino «Bernardino Telesio» che collega Reggio Calabria-Roma e viceversa:

- diventa **giornaliero**
- parte la **mattina** da Reggio Calabria ed il **pomeriggio** da Roma
- ferma anche a **Napoli**

Il Pendolino «Guido Reni» che collega Torino-Roma e viceversa:

- segue il **nuovo percorso** Torino-Asti-Alessandria-Bologna-Firenze-Roma e viceversa.
- **riduce di circa 20 minuti** il viaggio tra Roma e Torino, rispetto al precedente orario invernale.

ETR 450 «G. RENI»

Torino P.N.	p. 6.30 (IC 505) (1)
Roma Termini	a. 11.46
Roma Termini	p. 19.00 (IC 506)(2)
Torino P.N.	a. 0.12

(1) soppresso la domenica
(2) soppresso il sabato

ETR 450 «B. Telesio»

Reggio Calabria	p. 5.20 (IC 502)
Roma Termini	a. 11.50
Roma Termini	p. 17.15 (IC 515)
Reggio Calabria	a. 23.25

FERROVIE ITALIANE FS

ETR 450 "Pendolino"
UN MODO DIVERSO DI VIAGGIARE

Vero o falso?

	v	f
Il treno B. Telesio ...		
a. parte ogni giorno.	❑	❑
b. arriva a Roma di sera.	❑	❑
c. collega Roma con il Nord.	❑	❑
Il treno G. Reni ...		
d. viaggia tutti i giorni.	❑	❑
e. parte da Torino di pomeriggio.	❑	❑
f. si ferma nelle stesse stazioni all'andata e al ritorno.	❑	❑

DIALOGO

▲ Ci sono treni diretti di giorno?

● Sì, c'è un treno la mattina che parte alle 7.05 e arriva a Monaco alle 18.30. Però è un Eurocity, quindi bisogna pagare il supplemento rapido.

■ È troppo presto. E più tardi?

● Dunque, più tardi c'è un treno che parte alle 8.10; però dovete cambiare a Bologna, e lì c'è la coincidenza per Monaco dopo circa 20 minuti.

È troppo presto! E più tardi?		Bisogna	cambiare treno.
È troppo tardi! E più presto?			prenotare.
			aspettare 2 ore.

Che treni ci sono	di giorno?	La mattina …
	di mattina?	Il pomeriggio …
	di pomeriggio?	La sera …
	di sera?	

13 **ESERCIZIO**

Guardate l'orario dei treni e fate dei dialoghi secondo il modello.

destinazione **PISA**

	1° treno	2° treno	
partenza	7.10	8.55	→ IC supplemento rapido
↓	↓	↓	
arrivo	11.02	12.06	

△ Per Pisa ci sono treni diretti di giorno?

○ Sì, c'è un treno *la mattina* che parte alle *7.10* e arriva a *Pisa* alle *11.02*.

△ È troppo presto. E più tardi?

○ Dunque, più tardi c'è un treno che parte alle *8.55* e arriva alle *12.06; però è un IC e bisogna pagare il supplemento*.

destinazione **CASERTA**

	1° treno	2° treno	
partenza	20.20	21.05	→ IC 1ª classe
↓	↓	↓	
arrivo	23.33	23.40	

destinazione **FIRENZE**

	1° treno	2° treno	
partenza	14.25	15.15	→ IC supplemento rapido
↓	↓	↓	
arrivo	17.50	17.18	

destinazione **TRENTO**

	1° treno	2° treno	
partenza	8.50	10.15	→ cambio a Bologna
↓	↓	↓	
arrivo	13.45	17.01	

(14)   **ESERCIZIO**

Completate le frasi a piacere.

> Non ho trovato la cuccetta e quindi… ⟨ *ho preso il vagone letto.*
> *non sono partito.*
> *sono partito in aereo.*

a. Franco ha perso l'aereo e quindi _____.

b. Non ho prenotato la cuccetta e quindi _____.

c. Non ho trovato un posto vicino al finestrino e quindi _____.

d. Abbiamo trovato il museo chiuso e quindi _____.

e. Ho avuto un viaggio premio e quindi _____.

f. Oggi non ho mangiato niente e quindi _____.

(15)   **DETTATO**

● _____ o ____ _____?

■ Mah, è uguale.

▲ No. Come è uguale?! _____ _____. Dai, io non fumo. Io non

sopporto il fumo. ____ _____, ____ _____.

● _____, ____ _____ ___ _____ scompartimento ___ _____

per _____ con il _____ delle 8.10.

■ Come delle 8.10?! Delle 7.05.

● Delle 7.05, pardon.

▲ Sì e ____ _____ accanto al _____, se ___ _____.

● Vediamo un po'… ____, _____ __ _____. Posti o in mezzo

o _____ al corridoio.

▲ Va bene, fa lo stesso.

● _____, allora ecco i biglietti. _____ e buon viaggio.

▲ _____. ArrivederLa.

ESERCIZIO

Fate dei dialoghi secondo il modello.

> ○ *Fumatori* o *non fumatori*?
> □ È uguale.
> △ Come è uguale?! *Non fumatori*! Dai!

a. Prendiamo una pizza o un hamburger?
b. Preferite stare dentro o fuori?
c. La camera doppia o matrimoniale?
d. I posti in mezzo o accanto al finestrino?
e. Le cuccette in alto o in basso?

---

(17) **ESERCIZIO**

Lei è a Torino e vuole prenotare un volo per Palermo. Desidera partire il giorno dopo e possibilmente di pomeriggio.

Buongiorno. Desidera?

Risponde al saluto, dice cosa vuole fare e chiede informazioni sui voli.

□ _____
_____

Quando vuole partire?

Risponde.

□ _____

Dunque, di pomeriggio ci sono due voli, uno alle 15.00 e l'altro alle 16.00, ma deve cambiare a Roma.

Lei non vuole cambiare.
Si informa sui voli diretti in serata.

□ _____
_____

No, di sera no. Se vuole, di mattina c'è un aereo che parte da Torino alle 10.55 e arriva a Palermo alle 12.55.

Decide di prendere il volo delle 16.00 e chiede informazioni sull'orario di arrivo.

□ _____
_____
_____

Alle 19.05.

Chiede all'impiegato di prenotarLe un posto su quest'aereo.

□ _____
_____

Certo. Vuole solo andata o andata e ritorno?

Risponde.

□ _____

ESERCIZIO

Siamo alla stazione di Firenze *Santa Maria Novella*. Ascoltate gli annunci ferroviari e poi unite i treni della colonna di sinistra con le informazioni della colonna di destra.

	ferma a Como.
	ha solo la prima classe.
Il diretto 3085	ha 20 minuti di ritardo.
L'Eurocity *Raffaello*	ha solo la seconda classe.
L'Intercity *Ambrosiano* 528	arriva al binario 7.
L'Intercity 547 *Marco Polo*	parte dal binario 11.
L'Intercity 30542	va a Venezia.
Il regionale 11990	viene da Lucca.
	arriva a un binario diverso da quello previsto.

Viaggiare in autostrada

Quasi tutte le autostrade in Italia sono a pagamento. Quando si viaggia in autostrada bisogna ritirare il biglietto al casello di entrata e poi pagare il pedaggio al casello di uscita. Spesso ai caselli si vedono delle lunghe code di autoveicoli, specialmente nei giorni che precedono o seguono le feste. Anche se non sempre è possibile evitare queste code, si può fare qualcosa per viaggiare più comodamente e più informati. Basta, per esempio, accendere la radio e ascoltare ONDA VERDE, la trasmissione che dà informazioni sul traffico e sui lavori in corso su strade e autostrade. Se non si ha la radio in macchina, si può fare una sosta in un autogrill: lì ci sono spesso dei monitor che informano gli automobilisti sul traffico autostradale o sulle condizioni meteorologiche. Se non si vuole perdere troppo tempo al casello di uscita, è meglio avere la VIACARD. Con questa tessera magnetica il denaro non serve più, basta dare il biglietto d'ingresso e la VIACARD all'impiegato e non si hanno più problemi di resto. Ci sono inoltre delle uscite con corsia preferenziale riservate alla VIACARD. Qui si fa ancora più in fretta, bastano infatti pochi secondi per pagare il pedaggio. Si inserisce prima il biglietto e poi la VIACARD nella colonnina: tutto è automatico e una voce guida nelle operazioni. Ci sono tre tipi di VIACARD: da 50.000 lire, da 100.000 lire e da 150.000 lire. In autostrada si comprano negli autogrill o nei punti vendita della Società Autostrade, in città le tessere VIACARD si possono trovare anche presso gli uffici dell'Automobil Club Italiano (ACI), in alcune banche o uffici turistici e in numerose tabaccherie.

autostrade **VIAcard**
FIRMA DELL'UTENTE
TESSERA A SCALARE
LIRE 100.000
5931.18976

LA TROVI QUI

VIACARD. Via libera al casello.

autostrade

Vero o falso?   v   f

a. In Italia si paga sempre il pedaggio in autostrada.   ❏   ❏

b. Spesso prima e dopo i giorni festivi ci sono code ai caselli autostradali.   ❏   ❏

c. Per avere informazioni sul traffico si può ascoltare un programma radiofonico.   ❏   ❏

d. Con la VIACARD è possibile pagare il pedaggio senza denaro.   ❏   ❏

e. Ci sono uscite riservate alle persone che hanno la VIACARD.   ❏   ❏

f. La VIACARD si può comprare solo in autostrada.   ❏   ❏

> Con la VIACARD **si fa** più in fretta.
> Prima **si inserisce** il biglietto e poi la VIACARD.
> Con la VIACARD non **si hanno** problemi di resto.

(20)   **ESERCIZIO**

Completate con i seguenti verbi usando il «*si*» *impersonale*.

> volere – prendere – usare – andare – trovare – pagare – prendere
> aspettare – dovere – potere – abitare – fare – aspettare – arrivare

Qui a Milano se _____ andare in centro non _____ la

macchina: _____ i mezzi pubblici o _____ in bicicletta. In

centro non _____ posti dove parcheggiare la macchina e nei

parcheggi a pagamento _____ troppo. È veramente un problema.

Se _____ l'autobus qualche volta _____ anche per

mezz'ora e inoltre _____ avere i biglietti, perché non

_____ comprare in autobus. Se _____ vicino a una

stazione della metropolitana invece non ci sono problemi: _____

il biglietto al distributore automatico, non _____ molto e

_____ in centro in pochi minuti.

Per viaggiare comodamente **basta**	accendere la radio.
	la Viacard.
Per pagare in autostrada **bastano**	pochi secondi.

(21) ESERCIZIO

Unite le frasi con *basta* o *bastano*.

a. Per avere la colazione in camera

b. Per cominciare a parlare una lingua

c. Trovare una cuccetta non è un problema

d. Per non trovare traffico

e. Preparare un buon pranzo
   è facile

f. Per sapere l'ora esatta

g. Per conoscere le condizioni del traffico
   sulle strade

h. Per essere alla moda

1 _____ prenotare in tempo.

2 _____ telefonare al 161.

3 _____ telefonare alla reception.

4 _____ anche pochi soldi.

5 _____ ascoltare «Onda verde»
alla radio.

6 _____ anche due o tre
settimane di corso.

7 _____ partire presto.

8 _____ cucinare con amore.

(22) E ADESSO TOCCA A VOI!

a. Nel vostro paese bisogna pagare il pedaggio in autostrada? Se sì, che cosa si deve fare?

b. Che cosa si può fare per essere informati sul traffico?

c. Nel vostro paese si viaggia meglio in treno o in macchina? Perché?

d. Nella vostra città per andare in centro è meglio prendere l'autobus o usare la macchina? Perché?

(23)   **TEST**

I. Completate le frasi con le parole mancanti.

Anna e Rita vogliono _____ a Monaco. Vanno in un' _____ di

viaggi e chiedono _____ informazioni. Anna vuole _____

l'aereo, ma Rita _____ andare ____ treno anche se così _____

circa 12 ore. Per Monaco _____ un treno che parte ____ sera, ma non

ci sono cuccette _____. ____ mattina ci sono due treni: il primo

_____ alle 7.05 e il _____ alle 8.10.

Anna non vuole _____ il primo treno _____ parte troppo

_____. Ma l'altro treno non è comodo, _____ cambiare a

Bologna, e dopo 20 minuti c'è la _____ per Monaco. Anna e

Rita _____ il primo treno e _____ due posti in uno

_____ per non fumatori. Per questo treno _____

pagare il _____ rapido perché è un Eurocity.

II. Qual è il contrario di …?

presto   _____

in alto   _____

andata   _____

partenza   _____

entrata   _____

Ti fermi a pranzo?

Roberto va a trovare Giovanna che sta
passando le vacanze in campagna.

1 **QUESTIONARIO**

a. Roberto è

    puntuale. ❏

    in ritardo. ❏

b. Roberto

    resta ❏
    non resta ❏   a pranzo.

    resta ❏
    non resta ❏   a cena.

c. Il marito di Giovanna è in

garage ❏		la motocicletta. ❏
giardino ❏	e ripara	la bicicletta. ❏
cortile ❏		la macchina. ❏

	Giovanna	suo marito
d. Chi dorme fino a tardi?	❏	❏
Chi fa jogging?	❏	❏
Chi legge «Il nome della rosa»?	❏	❏

e. La sera Giovanna e il marito

vanno al ristorante.	❏
guardano la televisione.	❏
giocano a carte.	❏
leggono.	❏
vanno al cinema.	❏

f. Perché Giovanna ha bisogno di riposo? _____

② **DIALOGO**

■ Pronto.
● Giovanna?
■ Chi parla?
● Sono Roberto.
■ Ah ciao! Dove sei?
● Eh senti, qui vicino, a pochi chilometri da casa vostra. Posso fare un salto da voi?
■ Certo, vieni, ti aspetto.
● Bene, allora fra un quarto d'ora arrivo.
■ D'accordo. Ciao.

Sono Siamo	a pochi chilometri da casa	tua. vostra.

Posso Possiamo	fare un salto venire	da te? da voi?	Certo,	vieni, ti venite, vi	aspetto. aspettiamo.

Fra	un quarto d'ora mezz'ora	arrivo. arriviamo.

③ **ESERCIZIO**

Fate il dialogo secondo il modello.

---

al bar Cavour / un minuto

□ Dove sei?
○ *Al bar Cavour*. Posso fare un salto da te?
□ Certo, vieni, ti aspetto.
○ Bene, allora fra *un minuto* arrivo.

---

a. in una cabina telefonica in piazza Zama / 10 minuti
b. a 10 km da Parma / mezz'ora
c. in ufficio / 20 minuti
d. a due passi da casa tua / 2 minuti
e. in un telefono pubblico alla stazione / tre quarti d'ora
f. in un autogrill sull'autostrada / un paio d'ore
g. a 100 metri dalla stazione / 20 minuti

(4) DIALOGO

- ■ Ti fermi a pranzo?
- ● Sì, però subito dopo devo andar via.
- ■ No!
- ● Sì, devo essere in città. Mi dispiace, magari un'altra volta.

Roberto, ti fermi	a pranzo?	Sì	volentieri.
Signora, si ferma	a cena?		però subito dopo devo andare via.
		Mi dispiace,	magari un'altra volta.
			ma ho un impegno.
Vi fermate	a pranzo?	Sì	volentieri.
	a cena?		però subito dopo dobbiamo andare via.
		Ci dispiace,	magari domani.
			ma abbiamo un impegno.

(5) ESERCIZIO

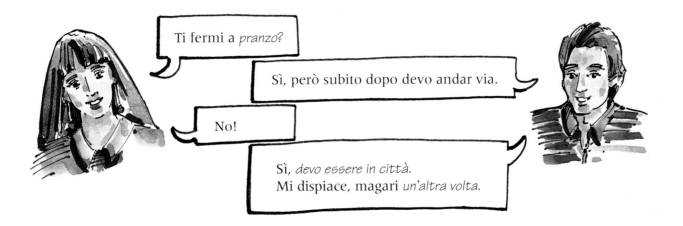

Ti fermi a *pranzo?*

Sì, però subito dopo devo andar via.

No!

Sì, *devo essere in città.*
Mi dispiace, magari *un'altra volta.*

Ripetete il dialogo con le seguenti variazioni.

cena	devo lavorare	
prendere un caffè	ho un impegno	domani (sera)
fare due chiacchiere	devo studiare	domenica
bere qualcosa	non ho tempo	la prossima settimana
	devo incontrare un amico	

(6) **DIALOGO**

● Senti, ma ... sei sola? Non c'è nessuno?
■ No, no, ci sono tutti.
● E tuo marito dov'è?
■ È giù in garage, da due ore.
● Da due ore in garage?! E che sta facendo?
■ Sta riparando la bicicletta.
● Oh mamma mia, e tuo figlio?
■ Mio figlio adesso sta dormendo.
  Oggi non si sente bene.

Non c'è **nessuno**?	No, ci sono **tutti**.

Che			ripar*ando* la bicicletta.
Che cosa	**sta facendo**?	**Sta**	leg**gendo**.
Cosa			dorm*endo*.

(7) **ESERCIZIO**

Ripetete il dialogo secondo il modello.

> Gianluca / terrazza / stamattina / prendere il sole
>
> ○ Senti, ma ... non c'è nessuno?
> □ No, ci sono tutti.
> ○ E *Gianluca* dov'è?
> □ È *in terrazza*, da *stamattina*.
> ○ E che *sta* facendo?
> □ *Sta prendendo il sole*.

a. Franca / cucina / tre ore / preparare
il pranzo

b. Giorgio / camera sua / stamattina / studiare

c. Carlo / giardino / due ore / lavorare

d. Serena/ terrazza / tre ore / prendere il sole

e. Mario e Paola / cortile / due ore / lavare
la macchina

f. Lucia / soggiorno / tre ore / guardare la TV

g. Corrado e Alberto / giardino / stamattina /
lavorare

h. Stefano / camera da letto / tre ore / dormire

i. Marco / balcone / due ore / leggere
il giornale

j. Sergio e Lucio / cantina / tre ore / cercare
un libro

LETTURA

Cortina, 4 marzo

Cara Agnese,

Cortina è un paradiso ed io mi sto divertendo un mondo. Paolo ed io sciamo tutto il giorno. Io, purtroppo, non sono brava come lui e infatti ho già deciso che la prossima volta che ritorniamo mi iscrivo ad un corso di sci. Anche la sera ci divertiamo un sacco, perché abbiamo conosciuto della gente molto simpatica.

A presto   Vanessa

Agnese Chiarini
via Attilio Friggeri, 113

00136 Roma

(9)

E ADESSO TOCCA A VOI!

Immaginate di essere in uno di questi posti.
Scrivete una cartolina a un amico italiano.

S. Gimignano

Lago Maggiore

Lago di Garda

Salina

(10)

DIALOGO

● Non vi annoiate?

■ No, assolutamente. Anzi, ci riposiamo. Ci troviamo benissimo qui.

● Ho capito, ma che cosa fate? Come passate la giornata?

■ Mah guarda, io per esempio mi alzo tardi la mattina ...

● E tuo marito?

■ No, lui si sveglia già alle sei.

Tu		ti annoi			mi riposo.
Lei, signora,		si annoia			mi riposo.
Mario	non	si annoia	qui?	No, anzi	si riposa.
Voi		vi annoiate			ci riposiamo.
Mario e Carla		si annoiano			si riposano.

 (11)

ESERCIZIO

Fate il dialogo secondo il modello.

> ○ *Non vi annoiate?*
> □ No, assolutamente, anzi *ci riposiamo*.

a.	Non vi annoiate?	riposarsi
b.	Ti svegli tardi?	alzarsi molto presto
c.	Hai difficoltà sul lavoro?	trovarsi benissimo
d.	Mario è stanco?	sentirsi in forma
e.	Il bambino sta un po' male?	sentirsi benissimo
f.	Lei non si annoia?	riposarsi
g.	I bambini si svegliano tardi?	svegliarsi prestissimo

12

ESERCIZIO

Fate le domande secondo l'esempio. Per le risposte potete scegliere fra le attività proposte.

> △ Come passi *la mattina*?
> □ Mah, *la mattina mi sveglio presto, faccio jogging* e poi *torno a casa.*

a. tu

b. Lei   la giornata

c. voi   la mattina

d. Enrico   il pomeriggio

e. Patrizia   la sera

f. i bambini

svegliarsi presto / tardi

alzarsi presto / tardi

dormire

prendere il sole

leggere il giornale

guardare la televisione

addormentarsi davanti alla TV

lavorare in giardino

andare al cinema

lavorare a maglia

andare al mare

mettersi a letto

ascoltare la musica

13

LETTURA

Prima di leggere il testo scrivete quanto tempo secondo voi gli italiani
dedicano mediamente in una giornata (ore, minuti)…

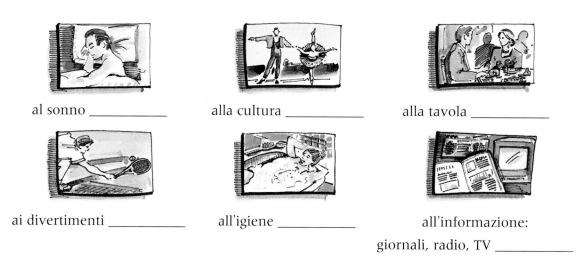

al sonno _____ alla cultura _____ alla tavola _____

ai divertimenti _____ all'igiene _____ all'informazione:
giornali, radio, TV _____

E adesso leggete il testo e controllate se avete indovinato.

Gli italiani – un popolo attivo o pigro?

Gli italiani sono attivi o pigri? E come passano la giornata? Per rispondere a questa domanda l'ISTAT[1] ha condotto un'indagine su un campione di 39.000 uomini e donne con più di 14 anni. È risultato che l'italiano medio è tutto il contrario dello stereotipo dell'uomo moderno, sportivo e iperattivo. Gli italiani sono un popolo di dormiglioni e, appena possono, infilano le pantofole e schiacciano un pisolino. L'italiano medio dedica al sonno oltre un terzo della sua giornata, dorme almeno otto ore a notte e spesso anche un'oretta il pomeriggio. La cosa che costa di più agli italiani è quella di alzarsi presto la mattina. Ma gli italiani non pensano solo a dormire: il lavoro, infatti, li occupa per buona parte della giornata e risulta partico-larmente impegnativo per le donne che svolgono anche attività domestiche. Gli italiani si tengono informati: passano un po' più di due ore in compagnia di un giornale, della radio o della televisione o anche con il telefono all'orecchio. Con i cellulari, fra l'altro, telefonare è oggi quasi una mania. Il tempo passato a tavola non è molto: un'ora e tre quarti, il doppio di quello che l'italiano medio dedica ogni giorno all'igiene personale. E il tempo libero e lo sport? Secondo l'indagine ISTAT gli italiani si concedono in media solo un'ora al giorno di svago e non riescono a tenersi in allenamento fisico per più di pochi minuti. Per fare una passeggiata rimane poco più di mezz'ora e ancor meno per la religione e la politica. E che dire allora dei quattro minuti dedicati alla cultura?

(liberamente adattato da *Monitor Italia*)
[1] ISTAT = Istituto Centrale di Statistica

(14)   **E ADESSO TOCCA A VOI!**

La cosa che costa di più agli italiani è quella di alzarsi presto la mattina.
E a voi cosa costa di più? Indicatelo con una crocetta e confrontate poi i risultati
con un compagno.

alzarvi presto la mattina ❏   chiedere scusa   ❏   aspettare a un appuntamento ❏
fare la fila   ❏   discutere di soldi ❏   rinunciare al caffé   ❏

(15)   **DETTATO**

● Cosa _____ ___ _____?

■ Mah, ___ ____ _____ ___ _____, qualche volta

   _____ ___ _____. Ma soprattutto ci godiamo _____

   tranquillità assoluta. Guarda, dopo ___ _____ di attività, un

   po' di riposo ___ _____. Specialmente _____ poi ...

● _____ _____ ...?

■ Ah già, forse ___ _____ ____ ___ ____. Aspetto ___ _____.

● Ah! Auguri _____!

■ _____.

> Dopo un anno di attività un po' di riposo **ci vuole**.

(16)   **ESERCIZIO**

Che cosa ci vuole?

Dopo ...
| un anno di lavoro |
| un pisolino |
| una buona cena |
| un'ora di jogging |
| un esame difficile |

ci vuole ...

un buon caffè   una grappa
                  una bella vacanza
un po' di riposo
una bella doccia   una sigaretta

ESERCIZIO

Scegliete il biglietto di auguri per

– una coppia di sposi
– un ragazzo che ha appena finito l'università

– un'amica che ha avuto un bambino
– un amico che compie gli anni.

Leggete questa pubblicità.

Portare i bambini al Club è come andare in vacanza con dieci baby-sitter. Perché il Club è una grande famiglia dove tutti sono indipendenti e felici. Al Club ognuno, piccolo o grande che sia, è libero di seguire i propri ritmi, le proprie passioni, i propri amici, i propri sport. Già a partire dal baby-club, ogni bimbo

ha i suoi orari e i suoi spazi per il gioco e le attività. E si sente più grande, perché può organizzare la sua giornata come un adulto. Una vacanza al Club è una vera

vacanza per tutta la famiglia: mentre i piccoli si divertono come matti, tra gli sguardi attenti di insegnanti e G.O.*, le mamme e i papà possono finalmente ritrovare il tanto sospirato spazio per un tête-à-tête in riva al mare. O un'escursione a cavallo come non la facevano da tanti anni. Il Club è la prima famiglia dove i genitori possono finalmente permettersi di dimenticare i figli. E i figli hanno troppo da fare per cercare i genitori.

Club Med
La felicità, se vuoi.

---

* G.O. = Gentils Organisateurs, francese per «animatori».

a. Nel testo si usa «piccolo» per «bambino». Che altra parola si usa per «grande»? _____

b. Che altra parola si usa per «bambino»? _____

c. Cosa fanno i bambini quando i genitori non ci sono?

_____

d. Perché al Club i figli non cercano i genitori?

_____

Al Club	**tutti** sono indipendenti e felici.
	ognuno è libero di seguire i propri ritmi.
	ogni bimbo ha i suoi orari.

(19)   **ESERCIZIO**

Trasformate secondo il modello.

> Al Club *tutti sono* indipendent*i* e felic*i*.
> Al Club *ognuno è* indipendent*e* e felic*e*.

a. Al Club tutti possono riposarsi.

_____

b. Al Club tutti sono liberi di fare quello che vogliono.

_____

c. Al Club tutti hanno la possibilità di fare dello sport.

_____

d. Al Club tutti si divertono.

_____

e. Al Club tutti fanno amicizia.

_____

(20)   **ESERCIZIO**

Trasformate secondo il modello.

> Al Club *tutti gli adulti* si ripos*ano*.
> Al Club *ogni adulto* si ripos*a*.

a. Al Club tutti i bambini giocano allegramente.

_____

b. Al Club tutti gli animatori organizzano il tempo libero.

_____

c. Al Club tutte le mamme si riposano.

_____

d. Al Club tutti i piccoli si divertono.

_____

e. Al Club tutti i ragazzi sono indipendenti.

_____

(21)   **ESERCIZIO**

Completate con *ogni / ognuno* e con *il suo / la sua / i suoi / le sue*.

a. _____ organizza _____ tempo libero come vuole.

b. _____ bimbo ha _____ orari.

c. _____ è libero di seguire _____ passioni.

d. _____ bimbo può organizzare _____ giornata come un adulto.

e. _____ può praticare _____ sport preferiti.

f. _____ mamma può permettersi di dimenticare _____ figli.

(22) **TEST**

I. Completate i dialoghi con le parole mancanti.

a. – Posso fare ____ _____ da te?

= Certo, vieni! Ti aspetto.

b. – Mangi con noi oggi?

= No, non posso. _____ un'altra volta.

c. – Quando vai in vacanza?

= _____ una settimana.

d. – Non ti annoi qui?

= No, _____ mi diverto.

e. – Oggi è il mio compleanno.

= _____ allora!

II. Che cosa stanno facendo?

a. Carla è in cucina: _____ _____ gli spaghetti.

b. Franca e Rosa sono in terrazza: _____ _____ il sole.

c. Mio marito è in giardino: _____ _____ un libro.

d. Franco è al bar: _____ _____ una birra.

e. Giorgio e Marina sono fuori: _____ _____ a tennis.

f. I miei genitori sono in soggiorno: _____ _____ la televisione.

III. Completate i dialoghi con i verbi.

| alzarsi – addormentarsi – riposarsi – sentirsi – svegliarsi – trovarsi |

a. – A che ora vai a letto?
= Alle undici.

– _____ subito?
= No, prima leggo un po'.

b. – _____ presto la mattina?
= Normalmente verso le sette.

– _____ subito?
= Noi sì, i bambini un po' più tardi.

c. – Da quanto tempo abita qui?
= Da sei mesi.

– E _____ bene?
= Sì.

d. – È uscito Franco?
= No, è a letto.

– _____ male?
= No, _____ sta _____.

Che cosa ci consiglia?

Due amici vanno a mangiare in una trattoria.

1

QUESTIONARIO

a. Leggete il menù del ristorante ed indicate
i piatti che il cameriere nomina.

ANTIPASTI
Prosciutto e melone ❏
Insalata di mare ❏
Crostini alla toscana ❏
Bruschetta ❏

PRIMI PIATTI
Maccheroni alla siciliana ❏
Penne all'arrabbiata ❏
Pasta e fagioli ❏
Risotto ai funghi ❏
Orecchiette alla pugliese ❏
Gnocchi ❏
Minestrone ❏

SECONDI PIATTI

PESCE
Fritto misto ❏
Sogliola panata o ai ferri ❏
Baccalà alla veneta ❏
Cozze alla marinara ❏
Trota alla mugnaia ❏
Trancia di pesce spada
  alla griglia ❏

CARNE
Braciola di maiale ai ferri ❏
Filetto di manzo ❏
Ossobuco ❏
Scaloppine al marsala ❏
Scaloppine al limone ❏
Arrosto di vitello al forno ❏
Involtini ❏
Fegato alla veneta ❏
Pollo al mattone ❏
Coniglio alla cacciatora ❏
Trippa ❏

CONTORNI
Insalata mista ❏
Insalata di rucola ❏
Fagiolini ❏
Patate al forno ❏
Carciofi alla giudia ❏
Spinaci ❏
Peperonata ❏
Funghi trifolati ❏

FRUTTA E DOLCE
Frutta di stagione ❏
Macedonia di frutta fresca ❏
Torta della casa ❏
Panna cotta ❏
Crème Caramel ❏

b. Cosa prendono da mangiare i due
clienti?

Lui	Lei
_____	_____
_____	_____
_____	_____

c. Che cosa prendono da bere?

_____

d. Quale delle seguenti descrizioni è quella del pollo al mattone?

– È un pollo cotto in padella con il pomodoro. ❏

– È un pollo cotto al forno, in una ciotola
di terracotta. ❏

– È un pollo cotto in un tegame con vino bianco
e rosmarino. ❏

e. Perché la signora non ha l'accendino? _____

DIALOGO

■ Buonasera, signori.

● Buonasera.

▲ Buonasera. Senta, ho un tavolo
prenotato per due persone.

■ A che nome, scusi?

▲ Carboni.

■ Ah, sì, sì. Ecco, questo è il tavolo.

▲ Benissimo. Va bene qui?

● Sì, sì, perfetto.

■ Allora si accomodino.

▲ Grazie.

 ESERCIZIO

Ripetete il dialogo. Cambiate il nome di chi ha prenotato e il numero delle persone.

  DIALOGO

▲ Che cosa ci consiglia di primo?

■ Mah, abbiamo maccheroni alla siciliana, penne all'arrabbiata,
risotto ai funghi …

● Senta, gli gnocchi li fate?

■ No, gli gnocchi li facciamo soltanto il giovedì, signora.
Oggi ci sono le orecchiette alla pugliese.
Sono molto buone. Sono la nostra specialità.

● Ah sì? Sono la vostra specialità?

■ Sì, sì, sì. Sono buonissime.

● Va bene. Allora per me orecchiette alla pugliese, però ne vorrei
mezza porzione.

Che cosa	ci mi	consiglia di	antipasto? primo? secondo?

> Gli gnocchi **li** fate?

> No, gli gnocchi **li** facciamo il giovedì.

(5) **ESERCIZIO**

Ripetete la prima parte del dialogo (fino a … *giovedì*) con un altro
studente. Uno di voi è il cliente e l'altro il cameriere. Il cameriere deve nominare
i primi tre piatti di uno dei giorni della settimana. Il cliente chiede un piatto
di un altro giorno. Il cameriere dice in che giorno lo fanno.

Menù del giorno

LUNEDI	MARTEDI	MERCOLEDI
Maccheroni alla siciliana	Spaghetti al ragù	Tortellini in brodo
Penne all'arrabbiata	Pasta e fagioli	Bucatini all'amatriciana
Risotto ai funghi	Rigatoni al sugo	Lasagne al forno
Orecchiette alla pugliese	Trenette al pesto	Spaghetti alla carbonara

GIOVEDI	VENERDI	SABATO
Gnocchi	Spaghetti alle vongole	Spaghetti al pomodoro
Minestra di verdure	Risotto alla pescatora	Minestrone
Penne al gorgonzola	Spaghetti aglio e olio	Cannelloni di magro
Sformato di maccheroni	Linguine ai frutti di mare	Risotto alla milanese

Le orecchiette sono	molto buone. buonissime.

Per me orecchiette alla pugliese.	Però **ne vorrei** solo mezza porzione. Ma **ne vorrei** una bella porzione, se è possibile.

 ESERCIZIO

Fate dei dialoghi secondo il modello. Variate i piatti e le quantità.

> □ Oggi ci sono *le orecchiette alla pugliese*.
> Sono molto buone. Sono la nostra specialità.
> ○ Ah sì? Sono la vostra specialità?
> □ Sì, sì, sì. Sono buonissime.
> ○ Va bene. Allora per me *orecchiette alla pugliese*, però ne vorrei *mezza porzione*.

▷ orecchiette alla pugliese / mezza porzione
▷ pasta e fagioli / un piatto abbondante
▷ insalata di mare / appena un assaggio
▷ crostini alla toscana / soltanto due

▷ tortelli di zucca / una porzione abbondante
▷ coniglio alla cacciatora / un pezzo piccolo
▷ risotto ai funghi / una bella porzione
▷ torta della nonna / una bella fetta

  DIALOGO

▲ Che pesce avete?
■ Mah, fresco o surgelato. Di fresco abbiamo per esempio la trota, il pesce spada, la sogliola …
▲ La sogliola come la fate?
■ Panata o ai ferri. La preferisce panata o ai ferri?
▲ Facciamo ai ferri.
■ Benissimo. Una sogliola ai ferri. E la signora prende del pesce?
● No, no. Io vorrei della carne.

(8)   **ESERCIZIO**

Ripetete il dialogo secondo il modello.

> △ E *la sogliola* come *la* fate?
> □ *Panata o ai ferri.*
> △ Facciamo *ai ferri.*
> □ Benissimo.

a. Trota: bollita / alla mugnaia   **e.** Tortellini: in brodo / alla panna
b. Scaloppine: al limone / al marsala   **f.** Fettuccine: alla boscaiola / al ragù
c. Fegato: alla veneziana / ai ferri   **g.** Pollo: allo spiedo / al mattone
d. Fagioli: con le cipolle / al sugo   **h.** Cozze: gratinate / alla marinara

(9)   **ESERCIZIO**

Fate le domande e rispondete secondo il modello.

> □ La signora prende *del pesce*?
> ○ No, io vorrei *della carne*.

a. vino / acqua   **e.** cozze / vongole
b. pollo / pesce   **f.** funghi / spinaci
c. formaggio / frutta   **g.** calamari / gamberi
d. verdura / formaggio   **h.** zucchine / fagiolini

DIALOGO

● Che cos'è questo pollo al mattone?

■ Ah, è buonissimo, signora! È un pollo cotto al forno, però in una ciotola di terracotta. Prende un sapore molto speciale, particolarissimo.

● Sì, sì, va bene. Proviamo questo pollo al mattone.

(11)   ESERCIZIO

Che cosa è … ? Che cosa sono … ?

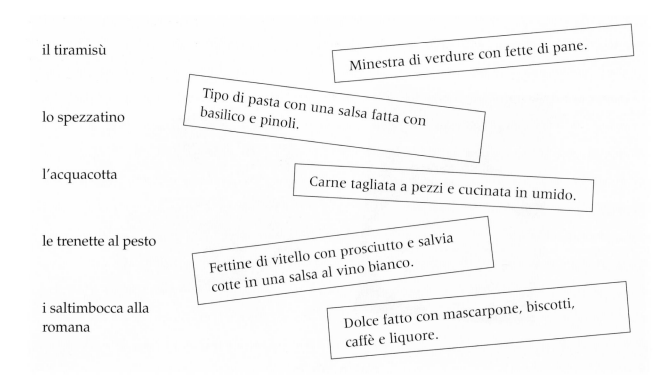

il tiramisù

Minestra di verdure con fette di pane.

lo spezzatino

Tipo di pasta con una salsa fatta con basilico e pinoli.

l'acquacotta

Carne tagliata a pezzi e cucinata in umido.

le trenette al pesto

Fettine di vitello con prosciutto e salvia cotte in una salsa al vino bianco.

i saltimbocca alla romana

Dolce fatto con mascarpone, biscotti, caffè e liquore.

(12)   ESERCIZIO

Fate dei dialoghi secondo il modello.

buono – vino – speciale – provare

○ È *buono* questo *vino*?
△ Ah, è *buonissimo*, signora, è *speciale*.
○ Sì, sì, va bene, *proviamo* questo *vino*.

a. fresca – insalata di pesce – ottima – provare
b. dolce – uva – speciale – assaggiare
c. buono – tiramisù – eccezionale – assaggiare
d. freschi – calamari – molto buoni – prendere
e. teneri – carciofi – molto saporiti – provare
f. buono – Lambrusco – eccezionale – provare

(13) **E ADESSO TOCCA A VOI!**

Formate dei gruppi di tre o quattro studenti. Uno di voi è il cameriere e gli altri sono i clienti. I clienti si fanno consigliare e chiedono spiegazioni sui piatti che non conoscono. Il cameriere li consiglia e risponde alle domande dei clienti.

(14) **LETTURA**

Peperonata

Ingredienti per 4 persone: **Kg. 1 di peperoni, una cipolla grossa, 500 gr. di pomodori, qualche foglia di basilico, 4 cucchiaiate d'olio d'oliva, sale.**

Tagliare la cipolla a fette sottili, metterla in una casseruola con un po' d'olio e farla appena dorare. Aggiungere i peperoni tagliati a spicchi, mescolare e poi unire i pomodori pelati e spezzettati, le foglie di basilico e il sale. Mescolare ancora, coprire e fare cuocere la peperonata a fuoco basso. Se necessario, bagnarla con un po' d'acqua. Servirla calda o fredda.

un chilo		peperoni
qualche foglia	**di**	basilico
4 cucchiaiate		olio

mezza cipolla

 (15) **ESERCIZIO**

Inserite adesso gli ingredienti nella descrizione di questa ricetta.

Risotto ai funghi

Ingredienti per 4 persone: **300 gr. di riso, 150 gr. di funghi, un bicchiere di vino bianco secco, mezza cipolla, un litro di brodo, parmigiano grattugiato, olio, 50 gr. di burro.**

Tagliare _____ _____ a fette sottili e farla dorare in una casseruola con un cucchiaio d'_____ e metà del burro. Aggiungere __ _____ e farli cuocere per qualche minuto, poi unire ___ _____. Mescolarlo e bagnarlo con un bicchiere di _____. Continuare a mescolare il risotto e intanto versare del _____ caldo. Alla fine aggiungere il _____ rimasto e il _____ grattugiato. Mescolare ancora il risotto e servirlo.

119

⑯

DETTATO

▲ Oh, mentre _____ sai cosa _____? Io mi fumo una

_____ _____. Però naturalmente _____ _____ non _____

l'accendino. E _____ ... _____ da accendere?

● No, _____, io ormai ____ smesso.

▲ _____ smesso? Davvero?

● Beh, diciamo che ci ____ _____ _____, va'!

▲ Ah, _____. E _____? Da _____ non fumi più?

● Da ____ _____.

▲ Beh, ma _____ hai smesso _____. Beata te, _____.

Beata te.

● Non è così _____. ____ _____ una forza di volontà incredibile.

▲ È vero, _____. Io ci ____ _____ tante volte, ma veramente

non ci _____ mai riuscito.

Ci sto provando.	= Sto provando	
Non **ci** riesco.	= Non riesco	*a smettere.*
Non **ci** sono mai riuscito.	= Non sono mai riuscito	

⑰

ESERCIZIO

Ripetete il dialogo secondo il modello.

> ○ *È difficile il corso?*
> (riuscire a seguirlo)
> △ Beh, diciamo che *riesco a seguirlo*, va'!

È difficile il corso?   non essere troppo rumorosa
Parli bene il tedesco?   non essere proprio piccola
Ti piace quella giacca?   riuscire a seguirlo
È buona la tua minestra?   arrangiarsi
È silenziosa la tua camera?   essere mangiabile
È grande la casa di Mario?   non essere male

(18) ESERCIZIO

Fate dei dialoghi secondo il modello.

> tu – avere da accendere
> smettere di fumare
>
> △ *Hai da accendere?*
> ○ *No, caro, io ho smesso di fumare.*
> △ Davvero? *Beata te*!

a. tu – restare qui per carnevale
prenotare per Rio

b. Carla e Alberto – andare a Rimini
quest'anno decidere di andare alle
Mauritius

c. voi – andare in campeggio
il mese scorso comprare una casa

d. tuo fratello – avere ancora quella vecchia 500
il mese scorso comprare un'Alfa Romeo

e. Marcella – lavorare sempre in quel bar
due mesi fa entrare in banca

(19) ESERCIZIO

Completate le frasi con *riuscire* o *provare* ed usate eventualmente anche *ci*.

a. Il mese scorso Tiziana _____ _____ a fare una dieta, ma non _____ _____ _____.

b. Per favore, puoi aprire questa bottiglia? Io non _____ _____.

c. Finalmente io _____ _____ a smettere di fumare.

d. Maria non _____ _____ ancora a trovare lavoro.

e. Non so se _____ a finire il lavoro prima di domani, ma _____ _____.

f. Non è stato facile trovare i biglietti per il concerto, ma alla fine noi _____ _____ _____.

(20) **LETTURA**

Locanda Da Merzi

Silvio Merzi e sua moglie non sono dei semplici ristoratori, sono due artisti della cucina veneta. Per i Merzi cucinare è un hobby, è il piacere di stare insieme ai loro clienti e ai loro amici. La locanda «Da Merzi» esiste da più di trent'anni e si trova a Pazzon, una frazione di Caprino Veronese, a pochi chilometri dal lago di Garda. Il locale è piccolo, c'è posto per circa 40 persone. Al piano terra a destra c'è la cucina e a sinistra la sala da pranzo con le pareti letteralmente coperte da disegni, fotografie e dipinti, alcuni anche di autori importanti. Al primo piano c'è il bar, dove i clienti affezionati pren-

sempre una bottiglia di vino e non c'è bisogno di ordinarlo: quando la bottiglia è quasi vuota, il Merzi ne porta un'altra. Il menù non esiste: è il Merzi che dice ai suoi clienti cosa c'è da mangiare, e tutto è sempre fresco e genuino. Bruna Merzi è una cuoca insuperabile: i suoi piatti sono quelli tradizionali veneti, come le tagliatelle in brodo con i fegatini di pollo, la pasta e fagioli, gli strangolapreti o il pasticcio al forno. Fra i secondi si possono mangiare il baccalà alla veneta, la faraona arrosto, lo stinco di agnello al forno e il bollito misto con la pearà, che è una salsina pepata fatta con il midollo di bue. E alla fine del pranzo Merzi arriva con il dolce, la pasta frolla con la grappa: una delizia! Da Merzi mangiare questo dolce è quasi un rito. E dopo una bella mangiata che

dono l'aperitivo o un bicchiere di vino prima di mangiare e scambiano quattro chiacchiere con il padrone di casa. Andare a mangiare da Merzi è veramente un piacere, è come ritrovare gli odori e l'atmosfera di casa. Su ogni tavolo c'è cosa c'è di meglio di un buon caffè? Con la grappa naturalmente perché, come dice il Merzi e come c'è scritto sulla bottiglia della grappa che lui produce, «el cafè senza graspa l'è come basar 'na dona per telefono».

Vero o falso?

	v	f
a. Il ristorante «Da Merzi» non è lontano dal lago di Garda.	❏	❏
b. La sala ristorante si trova al primo piano della locanda.	❏	❏
c. La cucina del ristorante è internazionale.	❏	❏
d. Da Merzi c'è la grappa nel caffè e nel dolce.	❏	❏
e. Da Merzi la grappa è di produzione propria.	❏	❏

(21)   **ESERCIZIO**

Cercate nel brano gli aggettivi possessivi e cercate di capire a chi si riferiscono.

(22)   **ESERCIZIO**

Completate adesso con gli aggettivi possessivi.

Silvio Merzi e _____ moglie hanno un ristorante a Caprino Veronese.

_____ locale è piccolo, non ci stanno più di 40 persone. Ai signori

Merzi piace stare con _____ clienti. Per la signora Merzi cucinare non

è solo un lavoro, ma anche un hobby. _____ ricette sono quelle

tradizionali venete. Fra _____ specialità ci sono il bollito misto e la

faraona arrosto. Alla fine del pasto Silvio serve il caffè con la grappa,

in una bottiglia dove c'è anche _____ fotografia.

(23)   **TEST**

I. Completate con le parole mancanti.

   a. Buonasera. Ho _____ un tavolo _____ quattro persone.

   b. Gli spaghetti al pesto ____ fate?

   c. Prendo il risotto ai funghi, ma ____ vorrei solo mezza _____.

   d. Vi consiglio il pollo al mattone: è la _____ specialità.

   e. Le scaloppine ____ preferisce ____ limone o ____ marsala?

   f. Da bere prendo una bottiglia di _____ bianco e mezza _____ gasata.

   g. Non fumo più. Ho _____ di fumare tre mesi fa.

   h. Fabio ha provato a fare una dieta, ma non ____ ___ riuscito.

II. Mettete in ordine le parole.

   a. | Che | | di | | consiglia | | cosa | | ci | | secondo? |

   b. | Di | | risotto | | ai | | preferisco | | il | | primo | | funghi. | | Però | | mezza |
          | vorrei | | ne | | porzione. |

   c. | Mentre | | mi | | bella | | una | | aspettiamo | | fumo | | sigaretta. |

   d. | Non | | smettere | | facile | | è | | di | | stato | | fumare, | | alla | | ci | | ma |
          | sono | | fine | | riuscito. |

III. Completate con i possessivi.

   a. Ecco, signore, questo è _____ tavolo.

   b. A Silvio Merzi e a _____ moglie piace stare con _____
          clienti.

   c. Le consiglio gli gnocchi, signora. Sono _____ specialità.

   d. Non trovo _____ accendino. Hai da accendere?

   e. La signora Merzi è un'ottima cuoca. _____ piatti sono
          quelli tradizionali.

Hai portato tutto?

Per l'ultimo dell'anno Marzia e Claudio stanno preparando
una festa nella casa di campagna di Marzia.

①
13

QUESTIONARIO

a. Quali sono le tre cose che Claudio non ha
dimenticato?

_____ _____ _____

b. Quali di questi piatti sta preparando la
padrona di casa e quale di questi porta
Daniela?

tacchino _____   minestrone _____   zampone _____

cotechino
con le lenticchie _____   peperoni
ripieni _____   capitone _____   cappone _____

c. Cosa si beve con il piatto che ha preparato
la padrona di casa?

_____

e. Come si chiama il gioco che Claudio ha
dimenticato?

_____

d. Gli ospiti questa sera sono
circa 10 ❑   circa 15 ❑
circa 12 ❑   circa 20 ❑

f. Che cosa deve comprare Claudio in paese?

_____

125

②   **DIALOGO**

■ È già arrivato qualcuno?

● No, non è ancora arrivato nessuno. Tu sei il primo.

■ Ah, bene. Senti, mi dai una mano a scaricare la macchina?

● Volentieri. Poi mi aiuti ad apparecchiare la tavola però?

■ Certo, va bene.

qualcuno	↔	non ... nessuno
già	↔	non ... ancora

 ③   **ESERCIZIO**

Fate il dialogo secondo il modello.

> arrivare
> ☐ È già *arrivato* qualcuno?
> ○ No, non è ancora *arrivato* nessuno.

a. entrare   **b.** uscire   **c.** venire   **d.** salire   **e.** scendere   **f.** partire

④   **ESERCIZIO**

> Senti, mi dai una mano a ...?
> Senti, mi aiuti a ...?

Cosa chiedete a un amico se avete questi problemi?

a. La vostra casa è nel caos più completo.
b. La vostra bicicletta è rotta.
c. Avete dei pantaloni troppo lunghi.
d. Dovete partire per un lungo viaggio.
e. La vostra macchina è sporchissima.
f. Stasera avete quindici ospiti a cena.

lavare
cucinare
mettere in ordine
riparare
fare le valigie
accorciare

Come si apparecchia la tavola?

Per prima cosa si mette la tovaglia sulla tavola, poi si mettono i piatti. A sinistra di ogni piatto si mette prima la forchetta e poi il tovagliolo, a destra il coltello e, se si mangia anche la minestra, il cucchiaio. Davanti al piatto si mettono le posate da dessert, cioè il coltellino e la forchettina, ed anche i bicchieri da acqua e da vino. Naturalmente non devono neanche mancare sulla tavola una bottiglia di vino, una caraffa d'acqua, la saliera ed il portapepe.

Scrivete adesso accanto ad ogni numero il nome dell'oggetto corrispondente.

1 _____	5 _____	9 _____	13 _____
2 _____	6 _____	10 _____	14 _____
3 _____	7 _____	11 _____	
4 _____	8 _____	12 _____	

(6) **DIALOGO**

● Hai portato tutto?

■ Tutto. Questa volta non ho dimenticato niente.

● Devo crederci?

■ Ma sì, naturalmente.

● Hai portato la chitarra?

■ La chitarra l'ho portata.

● I dischi li hai portati?

■ I dischi li ho portati.

● E le carte le hai portate?

■ Le carte le ho portate. Ho portato tutto.

| Hai portato la chitarra? | Sì, l'ho portata.
La chitarra l'ho portata. |

(7) **ESERCIZIO**

Ripetete il dialogo. Domandate a un compagno se ha portato tre delle seguenti cose:

vino	fotografie	stereo
pane	biscotti	cassette
pasta	bottiglie	olio
fiori	giochi	birra
bicchieri	carne	Coca Cola
piatti	pesce	dolci
tovaglioli	spumante	grappa

(8) ### DIALOGO

■ Il vino rosso ce l'hai?

● Come no! Io adoro il vino rosso!

■ Benissimo. Io ho portato lo spumante.

● Ah, benissimo. Quante bottiglie hai portato?

■ Quanti siamo?

● Una quindicina.

■ Ne ho portate dieci. Bastano, no?

> Il vino rosso **ce l'hai**?
> I dischi **ce li hai**?

(9) ### ESERCIZIO

> □ Il *vino rosso* ce l'hai?
> ○ Come no!? Io adoro il *vino rosso*.

a. spumante **c.** gelato **e.** dolci

b. cioccolata **d.** caffè **f.** noccioline

> Quante *bottiglie* hai portato? **Ne** ho portat**e** dieci.
> Quanti *bicchieri* hai portato? **Ne** ho portat**i** venti.

(10) ### ESERCIZIO

Fate le domande e rispondete secondo il modello.

> bottiglie – 10
> ○ Quante *bottiglie* hai portato?
> □ *Ne* ho portat**e** *dieci*.

a. bicchieri – 15 **c.** forchette – 30 **e.** cucchiai – 10

b. piatti – 20 **d.** coltelli – 25 **f.** tazzine – 12

Quanti siamo?				
Una **quindicina**.				

Una quindicina significa circa quindici.

	dieci	una	**decina**.
	dodici	una	**dozzina**.
Di circa	venti si dice	una	**ventina**.
	trenta	una	**trentina**.
	cento	un	**centinaio**.
	mille	un	**migliaio**.

 ESERCIZIO

Come si dice di circa …

quaranta? _____

cinquanta? _____

sessanta? _____

settanta? _____

ottanta? _____

novanta? _____

DETTATO

■ _____, che programma c'è ____ _____ _____?

● Eh _____, _____ siamo _____ qui, quando gli ospiti _____

_____, prendiamo ____ _____ e poi c'è il cenone, e poi

_____ a tombola.

■ Oh Dio!

● L' ____ dimenticata.

■ Accidenti a me!

● Hai _____ la tombola!

■ L'ho _____ _____!

● E io t'ho anche _____ _____!

(13)

San Silvestro

Come si trascorre la notte dell'ultimo dell'anno in Italia? Non diversamente da come si trascorre nel resto d'Europa: generalmente in casa con la famiglia e con gli amici. Nell'attesa della mezzanotte si mangia e si gioca, poi, quando mancano pochi minuti allo scadere delle 24.00, si tirano fuori le bottiglie di spumante dal frigorifero e si brinda allegramente al nuovo anno. A questo punto si esce tutti sul balcone e – c'è chi dice per ammazzare l'anno vecchio, altri invece per salutare quello nuovo – si accendono razzi e girandole, e il cielo si riempie di luci di ogni colore. A proposito di colori: da qualche anno si sta diffondendo una curiosa usanza, quella di accogliere il nuovo anno con qualcosa di rosso addosso, e questo qualcosa sono di solito le mutande. Ecco perché molto spesso sotto l'albero di Natale, insieme ai tanti regali, c'è un pacchetto che contiene un paio di slip o dei boxer rosso fiamma. È un modo, fra parenti e amici, di augurarsi un felice anno nuovo. Una tradizione che invece è andata perduta è quella di gettare oggetti dalla finestra allo scadere della mezzanotte. Per celebrare questa tradizione naturalmente le strade sotto casa devono essere vuote; infatti oggi nessuno vuole rovesciare piatti, bicchieri e chissà che altro sulla propria automobile o su quella del vicino. Il giorno dopo, il primo dell'anno cioè, il menù prevede alcuni piatti fissi, e fra questi regnano su ogni tavola le lenticchie che si accompagnano al cotechino o allo zampone. Perché proprio questi gustosi legumi? Perché nella fantasia popolare le lenticchie rappresentano i soldi, quindi quante più lenticchie si mangiano, tanto più ricchi si spera di diventare nel corso del nuovo anno. Ma la ricchezza non è la cosa più importante per gli italiani. Quello che i più si augurano è invece la salute. «Quando c'è la salute c'è tutto» dice un proverbio, e Ettore Petrolini, famoso attore e autore comico romano degli anni '30, in una sua canzone aggiunge alla salute un paio di scarpe nuove: così – dice – puoi girare tutto il mondo.

È vero?

	sì	no
a. Una vecchia tradizione è quella di accogliere il nuovo anno con la biancheria rossa.	❏	❏
b. A mezzanotte si gettano vecchie cose dalla finestra.	❏	❏
c. Chi a Capodanno mangia le lenticchie, spera di avere più soldi nel nuovo anno.	❏	❏
d. La cosa più importante per gli italiani è avere soldi.	❏	❏

 E ADESSO TOCCA A VOI!

a. Raccontate come avete trascorso la notte di San Silvestro dello scorso anno.

b. Ricordate una notte di San Silvestro particolarmente divertente? Raccontatela.

(15)

DIALOGO

■ Senti, ma c'è proprio bisogno che giochiamo a tombola
stasera?

● Ma dai! Il primo dell'anno la tombola ci vuole! Dai! Fai un
salto in paese.

■ Ma il paese è lontano!

● Ma dai! Se ti sbrighi ce la facciamo. Dai! Fai in fretta.

■ D'accordo. Senti, allora, visto che vado in paese, ti occorre
qualcosa?

● No, niente. Eh, aspetta, sì. Porta un paio di pacchetti
di Marlboro e una scatola di cerini.

> Il primo dell'anno la tombola **ci vuole!**

(16)

ESERCIZIO

Che cosa ci vuole ...

a. a Natale?

b. per una festa di compleanno?

c. per un pic-nic?

d. la domenica?

e. dopo tanto lavoro?

f. per una festa di carnevale?

> Se ti sbrighi, **ce la facciamo.**
> Se si sbriga, forse **ce la fa.**
> Se mi aiuti, **ce la faccio.**

(17)

ESERCIZIO

Inserite e coniugate il verbo *farcela* nelle frasi seguenti.

a. Se Paolo non mi aiuta, io non _____ a finire.

b. Se non troviamo traffico, (noi) _____ in due ore.

c. (Voi) _____ ad arrivare un po' prima delle cinque?

d. Franco, _____ da solo, o ti devo aiutare?

e. Paolo ha telefonato. Dice che non _____ ad arrivare
stasera.

Ti Vi	**occorre** qualcosa?	No, non	mi ci	**occorre** niente.

(18)   **ESERCIZIO**

Formate delle frasi con i seguenti elementi.

☐ Visto che vado in

| salumeria |
| tabaccheria |
| profumeria | ti occorre qualcosa?
| cartoleria |
| merceria |
| farmacia |

un dentifricio e uno spazzolino.

2 francobolli per lettera
e un accendino.

○ No, non mi occorre niente.   una penna e una gomma.

Eh … aspetta, sì. Porta …   del filo nero e degli aghi.

un pacchetto di cerotti.

2 etti di prosciutto.

(19)   **E ADESSO TOCCA A VOI!**

Formate dei gruppi di tre o quattro persone.
Volete organizzare una festa dove ognuno porta
qualcosa.
Decidete che cosa deve portare ognuno
di voi e dove volete fare la festa.

TEST

I. Completate il testo.

Oggi è San Silvestro e Marzia _____ organizzato una festa nella sua

casa di campagna. Sono quasi le sette e non è _____ arrivato

_____. Claudio è il primo, anche perché deve aiutare Marzia ad

_____ la tavola. Per il cenone lei ha _____ lo zampone

con le lenticchie che, come dice la tradizione, portano _____.

Claudio dimentica sempre _____, ma questa volta – dice lui –

non ha dimenticato _____. La chitarra ___ ___ portata e anche le

bottiglie di spumante: ____ ha portate dieci. E la tombola? Marzia

non ___ ___ ___ e Claudio l'ha dimenticata. Ma la tombola l'ultimo

dell'anno ___ _____! Per fortuna i negozi sono _____ aperti.

Se Claudio _____ un salto in paese e soprattutto se si _____, ce la

____ benissimo a comprare la tombola. A Marzia occorre ancora

_____ e chiede a Claudio di comprare anche un paio di _____

di sigarette e una _____ di cerini.

II. Inserite i pronomi e completate il participio con la lettera mancante.

a. Il pollo ___ hai comprat___?

b. Ho portat___ i panini. ____ ho comprat___ cinque.

c. La birra ____ ___ avete?

d. Dai! Se studi molto ____ ____ fai.

e. La lezione ____ avete studiat___ bene?

f. Mi dispiace, ma le cassette non ____ ho portate, ____ ho dimenticat___
a casa.

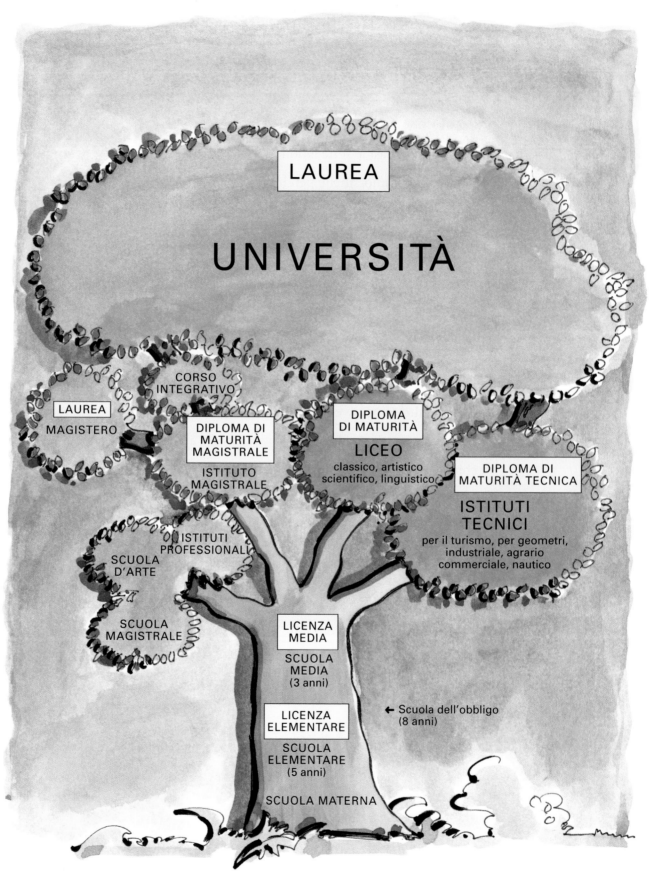

LAUREA

UNIVERSITÀ

LAUREA

MAGISTERO

CORSO
INTEGRATIVO

DIPLOMA DI
MATURITÀ
MAGISTRALE

ISTITUTO
MAGISTRALE

DIPLOMA
DI MATURITÀ

LICEO

classico, artistico
scientifico, linguistico

DIPLOMA DI
MATURITÀ TECNICA

ISTITUTI
TECNICI

per il turismo, per geometri,
industriale, agrario
commerciale, nautico

ISTITUTI
PROFESSIONALI

SCUOLA
D'ARTE

SCUOLA
MAGISTRALE

LICENZA
MEDIA

SCUOLA
MEDIA
(3 anni)

← Scuola dell'obbligo
(8 anni)

LICENZA
ELEMENTARE

SCUOLA
ELEMENTARE
(5 anni)

SCUOLA MATERNA

Che studi ha fatto?

QUESTIONARIO

Il dottor Fumagalli ha avuto un colloquio
di lavoro con due persone: un uomo e una donna.

a. Indicate chi dei due ...

		lui	lei
ha frequentato	l'istituto tecnico per il turismo.	❏	❏
	il liceo classico.	❏	❏
si è iscritto all'università.		❏	❏
è andato	in Inghilterra.	❏	❏
	in America.	❏	❏
ha lavorato	in un albergo.	❏	❏
	in una agenzia turistica.	❏	❏
parla lo spagnolo.		❏	❏
parla il tedesco.		❏	❏
è sposato.		❏	❏

b. Per quale delle due persone il dottor Fumagalli usa i seguenti aggettivi:

	lui	lei
dinamico	❏	❏
affidabile	❏	❏
serio	❏	❏
abile	❏	❏
positivo	❏	❏

c. Per quando intende fissare il dottor Fumagalli il prossimo appuntamento?

_____

(2)

LETTURA

Leggete i seguenti annunci.

2	**RICERCHE DI COLLABORATORI**

CERCASI segretaria part-time per studio legale. Tel. 02-2789561.

COMPAGNIA di assicurazioni ricerca neodiplomati da avviare ad attività di liquidazione danni. Si prega di inviare dettagliato curriculum a: Corriere 290-AC – 20100 Milano.

CUOCO referenziato cerca hotel in montagna per rapporto annuale. Stipendio L. 3.500.000 mensili. Tel. 0464/4935.

EMITTENTE radiotelevisiva locale ricerca collaboratore. Richiedesi massima serietà, disponibilità giorni festivi, massimo 28enne, militesente. Inviare richiesta scritta, foto e curriculum a Telesette, Via delle Ghiaie n. 39 – 38100 TN.

EUROVIAGGI cerca per ufficio di Roma collaboratore / collaboratrice. Richiedonsi ottima conoscenza inglese e seconda lingua, facilità di contatto umano, ambizione professionale, dinamismo. Offresi vera opportunità professionale in ambiente giovane, creativo ed in continua espansione. Inviare curriculum a: Euroviaggi – CORRIERE 762–SC – Milano

MOBILIFICIO ricerca collaboratori/-trici per promozioni province Trento, Verona, Trieste, Udine. Età 22/35 automuniti. Corso di arredamento gratuito. Tel. 02/314678

(3)

ESERCIZIO

a. Qual è l'inserzione che ha fatto pubblicare il dott. Fumagalli?

b. In quali offerte di lavoro si cercano solo uomini o solo donne?

c. Cercate negli annunci come si dice di una persona che …

◇ ha 28 anni.

◇ ha la macchina.

◇ non deve fare il servizio militare.

◇ che è diplomata da poco.

d. Cercate negli annunci tutte le forme con il «si» impersonale.

(4)

DIALOGO

■ È permesso?

● Si accomodi, dottor Fumagalli.

■ Buongiorno, Signora Turrini.

● Buongiorno. Allora, mi dica. Ha avuto i colloqui di lavoro oggi?

■ Sì, ho avuto i colloqui e si sono presentate diverse persone e fra queste, due particolarmente interessanti.

● E cioè?

■ E cioè un giovane di ventotto anni e una ragazza di ventisei anni.

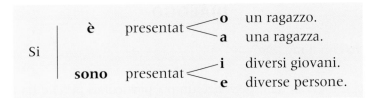

			o	un ragazzo.
Si	è	presentat	a	una ragazza.
	sono	presentat	i	diversi giovani.
			e	diverse persone.

(5) ESERCIZIO

Completate le frasi con i seguenti verbi al passato prossimo.

> diplomarsi – incontrarsi – iscriversi – laurearsi – presentarsi – riunirsi

a. Oggi alla facoltà di medicina _____ solo 3 studenti.

b. Al corso di francese _____ 22 persone.

c. Oggi all'esame di chimica _____ solo una studentessa.

d. Nella nostra scuola quest'anno _____ 30 studenti.

e. I professori e gli studenti _____ per discutere.

f. Il direttore _____ con i suoi collaboratori.

(6) ESERCIZIO

Fate il dialogo secondo il modello.

> Mario / ripetere / due esami.
> – quello di storia e quello di letteratura
> △ *Mario ha ripetuto due esami.*
> □ E cioè?
> △ E cioè *quello di storia e quello di letteratura.*

a. Luisa / visitare / due piccole città molto carine.

b. Io/rivedere / due ex compagni di scuola.

c. Noi / leggere / due bellissimi romanzi.

d. Loro / sentire / due bellissime opere.

e. Oggi io / comprare / due dischi.

f. La settimana scorsa noi / vedere / due film.

> uno di Paolo Conte e uno di Gianna Nannini
>
> «Il Barbiere di Siviglia» e «La Cenerentola» di Rossini
>
> Mario e Alberto
>
> «Casablanca» e «Tassisti di notte»
>
> Tuscania e Tarquinia
>
> «L'isola di Arturo» e «Strade di polvere»

DIALOGO

■ Comincio con il ragazzo?

● Sì.

■ Dunque, il ragazzo ha esperienze un po' particolari perché ha fatto il liceo classico, poi si è iscritto all'università, a matematica*, e ha vinto una borsa di studio per l'America. Quindi si è trasferito negli Stati Uniti, e lì a un certo punto non ha più voluto continuare l'università e ha cominciato a lavorare come guida turistica.

*a matematica: colloquiale per «alla facoltà di matematica»

Non **ha** più **voluto continuare** l'università.

 8   **ESERCIZIO**

Fate delle frasi secondo il modello.

> Paolo – non volere più continuare l'università – cominciare a lavorare come guida turistica
>
> *Paolo a un certo punto non ha più voluto continuare l'università e ha cominciato a lavorare come guida turistica.*

a. Luisa – non potere più continuare gli studi – cominciare a lavorare

b. mio fratello – non volere più studiare – cercare un lavoro

c. Gianni – non volere più lavorare col padre – mettersi in proprio

d. loro – volere sapere la verità – io dovere dire tutto

e. il dott. Reni – dovere smettere di fumare – riuscirci

f. io – non potere più pagare l'affitto – prendere un monolocale

---

quindi ...
(qui si esprime una conseguenza)
a un certo punto ...
(qui avviene un cambiamento)

9   **ESERCIZIO**

Completate le frasi con *quindi* o *a un certo punto*.

a. Mio fratello è partito per il servizio militare e _____ ha dovuto smettere di lavorare.

b. Ho lavorato per otto anni in banca, ma _____ ho deciso di cambiare vita e ho comprato un bar.

c. Pino ha studiato in Inghilterra e _____ parla bene l'inglese.

d. Tina ha cominciato a studiare architettura, ma _____ ha cambiato facoltà e ora studia ingegneria.

e. Luciana ha insegnato per diversi anni in un liceo. _____ ha avuto un bambino e _____ ha deciso di restare a casa con lui.

CURRICULUM VITAE

Nome	Paolo Iannini
Luogo e data di nascita	Napoli, 6 marzo 19..
Indirizzo	Viale Cola di Rienzo, 48 - 00154 Roma
Telefono	06 - 4465372
Nazionalità	Italiana
Stato civile	Coniugato con Susanne Brecht, impiegata presso l'Ambasciata della Repubblica Federale Tedesca
Posizione militare	19.. - 19.. Servizio militare prestato presso l'XI Battaglione "Lanciano" di Roma
Studi	Diploma di maturità conseguito il 15/7/19.. presso il "Liceo A. Manzoni" di Napoli con la votazione di 58/60 19.. - 19.. Università di Napoli, facoltà di matematica 19.. - 19.. Columbus College di Boston
Lingue conosciute	Francese, inglese e spagnolo (ottima conoscenza), tedesco (conoscenza discreta)
Esperienza professionale	19.. - 19.. Guida turistica presso l'agenzia "Magic Tours" di Boston
Referenze	Disponibili su richiesta

(11) ### DIALOGO

● E la ragazza?

■ Dunque, la ragazza invece ha esperienze più «classiche», perché ha fatto l'istituto tecnico per il turismo. La ragazza è di Aosta.

● Quindi si sa già che parla il francese.

■ Certo. Naturalmente parla il francese, ma oltre al francese sa parlare anche l'inglese.

Sa parlare l'inglese.

(12) ### ESERCIZIO

Domandate a un altro studente quello che sa fare. Segnate con una crocetta le sue risposte.

		sì	no			sì	no
a.	suonare la chitarra	❏	❏	**g.**	scrivere a macchina	❏	❏
b.	guidare la motocicletta	❏	❏	**h.**	sciare	❏	❏
c.	ballare il walzer	❏	❏	**i.**	lavorare a maglia	❏	❏
d.	nuotare	❏	❏	**j.**	cucinare	❏	❏
e.	usare il computer	❏	❏	**k.**	cucire	❏	❏
f.	stenografare	❏	❏	**l.**	andare a cavallo	❏	❏

(13) ### DETTATO

● Che studi ____ _____ ____ _____?

■ Dunque, ____ _____ l'istituto tecnico per il turismo, ____, _____ la maturità, __ _____ ___ Inghilterra _____ ___ ____ parenti ____ _____ ___ _____ __ Brighton.

● E _____ _____ è rimasta ____ _____?

■ __ _____ _____, ___ _____, _____ poi, per motivi di _____, è dovuta ritornare ad Aosta.

● _____. _ ___ ____ ___ _____ poi __ _____?

■ Poi, vicino ad Aosta, ____ _____ __ __ _____ _____ _____

_____. Poi si è sposata. ____ _____ __ __ _____ ___

_____ _____ _____ e quindi anche lei si è dovuta trasferire ___

_____ _____ _____ __ _____ __ _____ ___ cerca _____ .

È dovuta *ritornare* ad Aosta.

Si **è dovuta** *trasferire* a Roma.

(14)   **ESERCIZIO**

Fate delle frasi secondo il modello.

> La ragazza non _è_ rimast_a_ molto tempo in Inghilterra perché _è_ dovut_a_ ritornare in Italia.

    a. Io non _____ potut__ arrivare in tempo perché _____ trovat__ traffico.

    b. Franca si _____ dovut__ trasferire perché il marito _____ cambiat__ lavoro.

    c. Carolina non si _____ volut__ sposare perché non _____ trovat__ l'uomo giusto.

    d. Fabio non si _____ potut__ laureare perché _____ cominciat__ a lavorare.

(15)   **ESERCIZIO**

Trasformate le frasi dell'esercizio precedente secondo il modello.

> La ragazza non è rimasta molto tempo in Inghilterra **perché** è dovuta ritornare in Italia.   La ragazza è *dovuta ritornare in Italia* e **quindi** *non è rimasta molto tempo in Inghilterra.*

    a. Io _____

    b. Il marito di Franca _____

    c. Carolina _____

    d. Fabio _____

LETTURA

Ed ecco la domanda di lavoro che ha presentato la ragazza.

Angela Vecchioni
Via Ludovisi, 35
00145 Roma

Roma, 3/8/19..

Spett. Euroviaggi,

in riferimento al Vostro annuncio pubblicato sul "Corriere della Sera" del 1/8/19.., mi permetto di presentare domanda per l'impiego in questione. Ho 26 anni, sono coniugata, senza figli e da circa un anno abito a Roma. Nel 19.. mi sono diplomata presso l'Istituto tecnico per il turismo di Aosta con la votazione di 60/60.

Nel 19.. mi sono trasferita in Inghilterra dove ho lavorato per sei mesi come aiuto receptionist presso l'albergo "Golden Key" di Brighton. Al mio ritorno in Italia ho lavorato per due anni come receptionist presso l'hotel "Cavallo Bianco" di Aosta. Essendo di Aosta parlo perfettamente il francese. So esprimermi inoltre correttamente in inglese e sono in grado di tenere una corrispondenza commerciale nelle due lingue.

Ringraziando per l'attenzione, Vi saluto cordialmente

Angela Vecchioni

> **Essendo** di Aosta parlo perfettamente il francese.
>
> Parlo perfettamente il francese **perché sono** di Aosta.

(17) ESERCIZIO

Trasformate le seguenti frasi. Usate il gerundio.

a. Parlo bene lo spagnolo perché abito a Madrid.

_____

b. Giovanna fa molto sport perché ha tanto tempo libero.

_____

c. Lisa non ha tempo per lo studio perché lavora tutto il giorno.

_____

d. Posso fare quello che voglio perché vivo da solo.

_____

e. Mario lavora molto perché deve mantenere la famiglia.

_____

f. Carlo parla bene il tedesco perché è di Merano.

_____

 (18) ## E ADESSO TOCCA A VOI!

Al colloquio di lavoro con il dottor Fumagalli si sono presentate altre due persone.
Scrivete la lettera o il curriculum che hanno mandato.

Adriana Reali – anni 24 – di Catania –
nubile – liceo linguistico – tedesco, inglese
e spagnolo – alla pari in Germania e in
Inghilterra – 1 anno come segretaria presso
l'ufficio esportazioni della Speedy e Co.

Mauro Parisi – anni 25 – di Genova –
celibe – istituto tecnico commerciale –
inglese e tedesco – un anno a Colonia –
3 anni presso il club vacanze Valtur.

(19) DIALOGO

- ● Senta un po', ma ... chi Le sembra dei due il più affidabile?
- ■ Mah ... il più affidabile è difficile dirlo ... non lo so.
- ● E il più dinamico?
- ■ Mah, il più dinamico dei due certamente è il ragazzo. Cioè questo è chiaro: il ragazzo è più dinamico della ragazza. Ma insomma, è un pochino difficile decidere.

Chi è **il**	**più** / **meno**	affidabile **dei** due?	Chi è **la**	**più** / **meno**	affidabile **delle** due?

Il ragazzo è **più** dinamico **della** ragazza.

(20) ESERCIZIO

Ripetete il dialogo. Usate i seguenti aggettivi: intelligente, simpatico, abile, estroverso, capace, attivo, bravo, responsabile, preparato.

- **a.** il signor Toti – il dottor Renzi
- **b.** lo studente – la studentessa
- **c.** la signora Ferri – la signorina Santi
- **d.** la segretaria – la dattilografa
- **e.** l'architetto – il geometra
- **f.** il professor Boni – la professoressa Nardini

(21) E ADESSO TOCCA A VOI!

Formate delle coppie. Uno studente è un personaggio famoso a sua scelta (o uno dei tre qui sotto). L'altro lo intervista sui suoi studi e sulla sua carriera.

Sophia Loren

Umberto Eco

Luciano Pavarotti

Il dott. Fumagalli deve andare per due giorni a Napoli per lavoro e lascia un messaggio alla sua segretaria.

La segretaria lascia questo messaggio sulla scrivania del dott. Fumagalli.

Nota Flash

Data *10/8*   Ora

A: *Sig.ra Giuliani*
Da: *Piero Fumagalli*

Telefonare al sig. Iannini e alla sig.ra Vecchioni e fissare loro un appuntamento per mercoledì

Modulistica Post-it™ 7661   3M

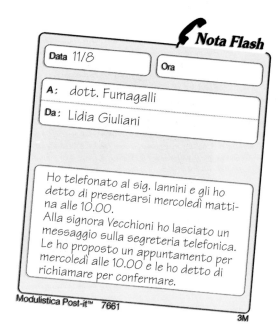

Nota Flash

Data *11/8*   Ora

A: *dott. Fumagalli*
Da: *Lidia Giuliani*

*Ho telefonato al sig. Iannini e gli ho detto di presentarsi mercoledì mattina alle 10.00.
Alla signora Vecchioni ho lasciato un messaggio sulla segreteria telefonica.
Le ho proposto un appuntamento per mercoledì alle 10.00 e le ho detto di richiamare per confermare.*

Modulistica Post-it™ 7661   3M

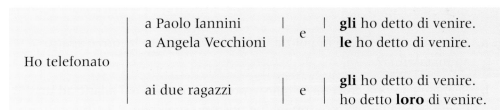

| Ho telefonato | a Paolo Iannini
a Angela Vecchioni | e | **gli** ho detto di venire.
le ho detto di venire. |
| | ai due ragazzi | e | **gli** ho detto di venire.
ho detto **loro** di venire. |

(23)   **ESERCIZIO**

Completate i messaggi.

a. Ho telefonato al ragioniere e _____ ho chiesto un appuntamento.

b. Ho parlato con la signora Franchi e _____ ho proposto di venire alle 16.00.

c. Ho scritto al signor Varzi e _____ ho mandato la documentazione.

d. Non ho trovato la signora Renzi, ma _____ ho lasciato un messaggio sulla segreteria telefonica.

e. Ho incontrato i colleghi dell'amministrazione e _____ ho proposto di incontrarci domani mattina.

f. Ho scritto ai signori Rossi e ho mandato _____ l'invito.

Miriam Mafai è una famosa giornalista e scrittrice che cura da anni una rubrica su *Grazia*, una rivista di moda e di attualità. Le lettrici che hanno dei problemi si rivolgono a lei per avere dei consigli. Leggiamo quello che scrive Patrizia:

Entrare in Polizia: e perché no?

Vorrei tanto entrare a far parte del corpo di polizia, ma molti mi sconsigliano dicendo che non è un ruolo adatto ad una donna. Tu cosa ne pensi? (Patrizia)

Penso che non esistono ruoli adatti o meno alle donne generalmente intese. Ogni professione, mestiere, carriera può essere più o meno adatto ad ogni singola donna (e ad ogni singolo uomo). Se tu vuoi entrare in Polizia, se credi di averne le capacità, perché no?
Per avere maggiori informazioni sui requisiti necessari puoi rivolgerti alla Questura della tua città. ∎

a. Patrizia vuole entrare in polizia. Secondo voi questo lavoro è adatto ad una donna?

b. Segnate con una crocetta se queste professioni sono più adatte ad un uomo, a una donna o se tutti e due possono svolgerle. Alla fine confrontate i vostri risultati con quelli di un compagno e discutete sulle vostre scelte.

Professione	più adatta a un uomo	più adatta a una donna	adatta a un uomo e a una donna
baby-sitter			
chirurgo			
colf			
elettricista			
macchinista			
meccanico			
pilota			
tassista			

TEST

I. Ricostruite il seguente annuncio.

nuovo ristorante	ore pasti	in Maremma	
	cercasi da giugno		055/438957
		Telefonare	
Per apertura	veramente esperto		cameriere

II. Completate con i verbi.

Marisa Bolognini _____ al liceo artistico con la votazione di 55/60.

Poi _____ alla facoltà di architettura e cinque anni dopo _____.

Dopo la laurea non _____ lavoro nella sua città e quindi _____

trasferire a Como dove _____ a lavorare presso lo studio di un architetto.

III. Inserite e coniugate i verbi al passato: addormentarsi – alzarsi – annoiarsi – presentarsi – trasferirsi.

a. Stasera alla festa di Paolo _____ tutti.

b. Dopo l'università io _____ a Napoli.

c. A che ora (voi) _____ stamattina?

d. Al colloquio di lavoro _____ diverse persone.

e. Ieri sera sono andato a letto alle dieci e _____ subito.

IV. Trasformate le frasi al passato prossimo.

a. Non posso lavorare. _____

b. Ci dobbiamo trasferire. _____

c. Luisa non vuole più studiare. _____

d. Non possono partire. _____

e. Non si vogliono iscrivere al corso. _____

f. Dobbiamo partire in macchina. _____

V. Completate con i pronomi.

    a. – Ha parlato con l'avvocato?

        = No, non ____ ho ancora telefonato. ____ chiamo subito.

    b. – Sono già arrivati i signori Cecchi?

        = Sì, ____ ho detto di accomodarsi in sala d'aspetto.

    c. – Ha parlato con la signorina Santi?

        = No, ____ ho lasciato un messaggio in ufficio. ____ richiamo?

    d. – Ha parlato con i due nuovi collaboratori?

        = No, ____ ho telefonato e ho detto ____ di venire più tardi.

    e. – Professore, come ____ sembrano i nuovi studenti?

        = ____ ho avuti solo per un'ora, ma ____ sembrano bravi.

VI. Completate le frasi con le preposizioni.

    a. Oltre _____ francese parlo anche l'inglese.

    b. La signora Freni è più dinamica _____ signor Ghezzi.

    c. Ha dovuto lasciare gli studi _____ motivi _____ famiglia.

    d. _____ colloquio _____ lavoro si è presentato un giovane _____ 28 anni.

    e. Franco vuole andare _____ Stati Uniti.

    f. Chi è il più bravo _____ due?

Hai visto che casa?

Una coppia è andata a trovare degli amici. Tornando
a casa, lui e lei cominciano a discutere.

(1)

QUESTIONARIO

a. Qual è la situazione della coppia che parla?

lavoro _____

figli _____

abitazione _____

situazione economica _____

b. Qual è il loro problema attuale?

_____

_____

② DIALOGO

■ Hai visto? Hai visto che casa si sono comprati
Maurizio e Valeria, eh?

● Eh, bella!

■ Bella, sì! Se io penso che adesso torniamo in
quel buco di casa che è la nostra casa!

● Ah, buco! Non esagerare, non è un buco.

■ No? Che cos'è?

● È un appartamentino carino in centro.

■ È un appartamentino ino, ino, ino.
È piccolo, è piccolo, è piccolo.

③ ESERCIZIO

Trasformate secondo il modello.

Maurizio e Valeria hanno comprato una bella casa.

→ Hai visto che casa si sono comprati Maurizio e Valeria?

---

a. Francesco ha mangiato un enorme piatto
di spaghetti.

b. Mario ha bevuto un enorme boccale di birra.

c. Silvia ha trovato un lavoro ben pagato.

d. Gianni ha preso una bella sbronza.

e. La signora Pozzi ha comprato una villa sulla
via Appia.

f. I Masini hanno comprato una macchina
molto costosa.

---

appartamento → appartament**ino**

---

④ ESERCIZIO

Qual è il diminutivo di ...

a. tavolo _____

b. bicchiere _____

c. ragazzo _____

d. cucchiaio _____

e. strada _____

f. letto _____

g. gatto _____

h. treno _____

i. forchetta _____

j. tazza _____

k. pane _____

l. piatto _____

Una casa da comprare nelle piccole città storiche: Chioggia

Con affreschi d'epoca

In una residenza signorile è in vendita un appartamento che occupa tutto il piano nobile. Misura circa 250 metri quadrati.

DOVE SI TROVA – Lungo la strada principale di Chioggia, quella che va dalla Porta di S. Maria alla piazzetta di Vigo verso il mare, è in vendita in uno dei palazzi più significativi della cittadina, un appartamento posto al piano nobile, quello col balcone.

COME È COMPOSTO – L'appartamento, che occupa tutto il piano, comprende l'ingresso, un salone-soggiorno di circa 70 metri quadrati che dà sul balcone, la cucina, 4 stanze da letto e 2 bagni. Nel salone e in alcuni locali vi sono affreschi d'epoca. Per renderlo rispondente alle esigenze di oggi sono necessari alcuni lavori di ammodernamento, in particolare nei servizi. La superficie utile è di circa 250 metri quadrati.

QUANTO COSTA – Prezzo richiesto: 650 milioni. Informazioni: Ag. Immobiliare «Lido» di Chioggia, tel. 041/404965.

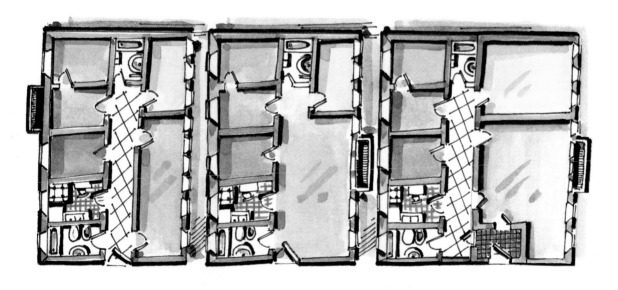

Quale di queste tre piantine corrisponde all'appartamento descritto?

(6)   **ESERCIZIO**

Una grande sala è un salone. E come si dice di …

◇ una grande porta   _____   ◇ guanti da boxe   _____

◇ una maglia pesante   _____   ◇ un ombrello da spiaggia   _____

◇ scarpe da montagna   _____   ◇ una giacca pesante   _____

Una piazzetta è una piccola piazza. E come si dice di …

◇ una piccola scatola   _____   ◇ una piccola barca   _____

◇ una piccola casa   _____   ◇ quasi un'ora   _____

◇ un disco per il computer   _____   ◇ un piccolo pacco   _____

◇ una piccola borsa   _____   ◇ un lavoro che dura poco   _____

(7)   **DIALOGO**

■ Io ho parlato con tuo padre più di una volta e tuo padre mi ha detto che ci darebbe i soldi.

● Ma i soldi dei miei non ti basterebbero.

■ Va bene, ma potremmo aprire un mutuo, e in dieci anni, in quindici anni la casa sarebbe nostra. E poi scusa, io sono architetto, devo lavorare in uno studio e devo pagare l'affitto per questo studio ogni mese. Con una casa più grande io avrei la mia stanza, che sarebbe il mio studio, e sarebbe tutto meglio.

● Sì, ma dovremmo fare dei sacrifici.

Tuo padre mi ha detto che ci **darebbe** i soldi.
I soldi dei miei non ti **basterebbero**.
Con una casa più grande io **avrei** la mia stanza.
Noi **dovremmo** fare dei sacrifici.

FINANZIAMENTI CASA

Credito Italiano

8 ESERCIZIO

Unite le frasi della prima colonna con quelle della seconda.

Ho parlato con il professore e mi ha detto che …	… domani voi dovreste finire quel lavoro.
Ho parlato con il capufficio e mi ha detto che …	… potremmo vincere il processo.
Ho telefonato al meccanico e gli ho detto che …	… loro ci aiuterebbero.
Sono andata dal medico e mi ha detto che …	… vorrei avere la macchina entro domani sera.
Ho telefonato ai miei genitori e mi hanno detto che …	… tu potresti farcela a superare l'esame.
Siamo andati dall'avvocato e ci ha detto che …	… dovrei fumare di meno.

9 ESERCIZIO

Completate le risposte secondo il modello.

> ☐ Tuo padre ci darebbe i soldi.
> ○ Sì, ma i soldi di mio padre non *ci basterebbero*.

a. ☐ Che ne diresti di fare il giro d'Europa in macchina.

○ Sì, ma due settimane di ferie non

_____ .

b. ○ Con questa flanella potrei farmi un vestito.

☐ Sì, ma tre metri di stoffa non

_____ .

c. ☐ Potresti vedere ancora un museo.

○ Sì, ma un'ora non _____ .

d. ☐ Io e mia moglie vorremmo fare il trasloco domenica.

○ Sì, ma un giorno solo non _____ .

e. ○ Carlo vorrebbe comprarsi una macchina nuova.

☐ Sì, ma i risparmi che ha non

_____ .

f. ☐ I miei cugini vorrebbero prendere in affitto una casa a Cortina.

○ Sì, ma i soldi che hanno non

_____ .

g. ○ Marta vorrebbe frequentare un corso serale di francese.

☐ Sì, ma il tempo che ha non

_____ .

(10)   **ESERCIZIO**

Inserite i verbi al condizionale.

    a. Io (potere) _____ mandare il bambino in vacanza in Francia e in

        pochi mesi (imparare) _____ il francese.

    b. Voi (potere) _____ investire i vostri soldi in azioni e in pochi anni

        (avere) _____ un capitale.

    c. Lui (potere) _____ cominciare a lavorare con il padre e in pochi

        anni (assumere) _____ la direzione della società.

    d. Noi (potere) _____ comprare un appartamento vicino alla

        stazione della metropolitana, così in pochi minuti (essere)

        _____ in centro.

(11)   **DETTATO**

    ■ _____ _____ che casa? _____ è più _____: la _____ __ __

    doppio, e il salotto è più _____. Il _____ è ____ _____.

    Le _____ da _____ sono più _____. Il terrazzo è più _____.

    Perfino lo sgabuzzino è più _____.

    ● E ____ ____ pulirebbe ____ ____?

    ■ E ____ ___ pulirebbe? La colf.

(12)   **DIALOGO**

■ Loro hanno la colf? La voglio anch'io. Perché non devo avere qualcosa
   che loro hanno?

● Va bene, va', adesso sei nervoso. Dai! Ne riparliamo. Domani telefono
   a mamma.

■ Va be', telefona a mamma. E poi, anche il discorso dei soldi che
   abbiamo in banca … Tu dici sempre che quei soldi è meglio investirli.
   Quale investimento migliore di una casa?

● Sì, questo è vero.

■ Appunto.

Ne riparliamo. = Riparliamo *di questo*.

(13)   **ESERCIZIO**

Completate le seguenti frasi.

a. Lui non parla mai di politica, loro invece

_____ sempre.

b. Io non approfitto mai della gentilezza di

Franco, voi invece _____

continuamente.

c. Loro non dubitano della mia sincerità.

Lei invece purtroppo _____.

d. Voi non godete di certi vantaggi, noi invece

_____.

e. Lui non soffre di mal di testa e non può

capirlo, io invece _____ e so cosa

significa.

f. Lui ha voglia di andare in montagna ogni

fine settimana, ma io non _____.

g. Io sono il receptionist, non rispondo della

pulizia delle camere, _____ solo

il signor Bossi.

Tu dici sempre che i soldi sarebbe **meglio** investirli:
quale investimento **migliore** di una casa?

(14)   **ESERCIZIO**

Unite le frasi.

Tu dici sempre che ...

a. le ferie è meglio prenderle in autunno:

b. le vacanze è meglio passarle in campagna:

c. per te sarebbe meglio cambiare lavoro: ⟨ quale ... ⟩

d. per Giorgio sarebbe meglio trovare moglie:

e. per Marisa sarebbe meglio fare un po' di sport:

f. sarebbe meglio cercare una nuova colf:

idea migliore di presentargli
una delle tue amiche? (**1.**)

persona migliore della
moglie del portiere? (**2.**)

periodo migliore di ottobre? (**3.**)

posto migliore della casa
dei miei genitori?(**4.**)

impiego migliore di questo? (**5.**)

regalo migliore di una bicicletta? (**6.**)

E ADESSO TOCCA A VOI!

I vostri amici vogliono trasferirsi in un appartamento più grande e vi hanno chiesto di aiutarli ad arredarlo. Quali mobili usereste ancora? Quali altri comprereste? Come li sistemereste?

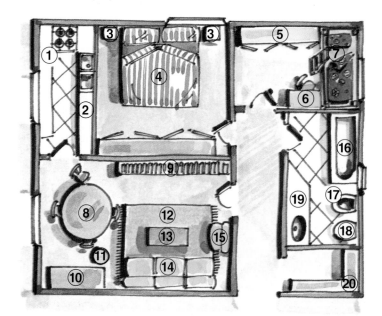

1. cucina a gas
2. lavandino
3. comodino
4. letto matrimoniale
5. armadio
6. scrivania con sedia
7. letto a castello
8. tavolo con sedie
9. libreria
10. cassettiera
11. lampada
12. tappeto
13. tavolino
14. divano
15. poltrona
16. vasca da bagno
17. bidet
18. water
19. lavabo
20. scaffali

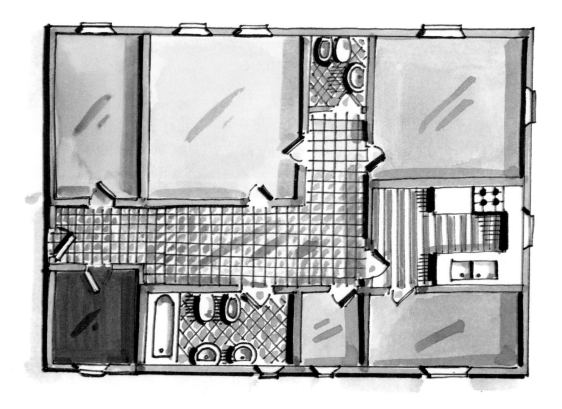

Caro Nicola,

ho provato a telefonarti, ma non mi ha risposto nessuno, così ti scrivo, perché so che sei un amico a cui posso sempre chiedere un consiglio.

Dunque, Nicola, ho un problema, ed è un problema non piccolo. Mio cognato mi ha proposto di entrare a lavorare con lui. Ti ho già detto, credo, che da qualche anno lui si occupa di computer (vende computer e programmi). Il lavoro va molto bene e così, visto che ci sono molte richieste e che lui da solo non ce la fa più, ha pensato a me come socio. Ovviamente dovrei versare un certo capitale ma, a quel punto, diventerei gestore del mio lavoro, senza orari rigidi e soprattutto con possibilità di guadagno ben maggiori di quelle che ho adesso. Che ne dici? Non sarebbe una bella idea? Purtroppo c'è un ma, e quel ma sono io. Ho paura di rischiare troppo. Cominciare a lavorare con mio cognato significherebbe lasciare il lavoro in banca, di cui comincio ad essere un po' stanco, ma che alla fine del mese mi dà il mio bravo stipendio e, ogni anno, le mie cinque settimane di ferie. Un'altra cosa di cui mi preoccupo un po' è che – come ti ho detto – dovrei versare un certo capitale, che io però purtroppo momentaneamente non ho. È vero che i miei suoceri dicono che sarebbero disposti ad aiutarmi (e certo lo farebbero volentieri dal momento che io entrerei a lavorare con il figlio); ma a questo punto non credi che dipenderei un po' troppo dalla famiglia di mia moglie? Tu cosa ne pensi? Che faresti al mio posto?
Aspetto il tuo consiglio che so già prezioso.

Ti abbraccio

Massimo

Fate una lista dei vantaggi e degli svantaggi che Massimo vede nel cambiare lavoro.

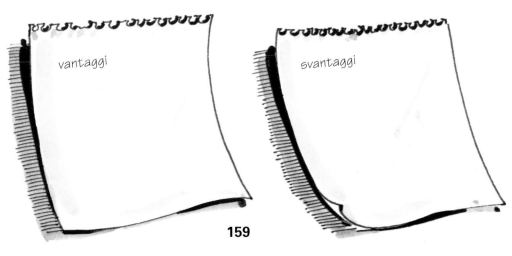

vantaggi   svantaggi

Caro Massimo,

ho appena letto la tua lettera. Cosa posso dirti? Il lavoro in proprio è una bellissima cosa, ma comporta non pochi rischi. Ti senti pronto ad affrontarli? Sì? No? Sei tu che devi decidere. Hai ragione quando dici che non avresti più orari rigidi, ma certamente non saresti neanche a casa tutti i giorni alle cinque come fai adesso. Quanto alle possibilità di guadagno, è vero che sarebbero superiori, ma quanto dovresti lavorare per questo? Forse anche i sabati e le domeniche. Pensa che lavorare in proprio significa investire in continuazione tempo e denaro. Per quest'ultimo ti potresti rivolgere alle banche che, come ben sai, non sono generose e simpatiche come i tuoi suoceri. Insomma Massimo, che posso dirti? In fondo devi essere tu a decidere se è meglio o peggio cambiare lavoro. Vuoi sapere che cosa farei io al tuo posto? Ma io non sono al tuo posto. Purtroppo non so che dirti. L'unico consiglio che mi sento di darti è quello di riflettere bene prima di prendere una decisione così importante.

Nicola

Un caro saluto

a. Nicola condivide i dubbi di Massimo? Vede altri vantaggi o svantaggi?
b. Voi cosa consigliereste a Massimo?

bene	→	**meglio**	grande	→	**maggiore**
male	→	**peggio**	piccolo	→	**minore**
buono	→	**migliore**	alto	→	**superiore**
cattivo	→	**peggiore**	basso	→	**inferiore**

(17)   **ESERCIZIO**

a. Completate con *meglio, migliore, inferiore, superiore, maggiore.*

> *Marisa è commessa in un piccolo negozio, ma non è contenta del suo lavoro e
> sogna di lavorare in un grande magazzino, alla Rinascente, dove già
> lavora una sua amica. Marisa ci spiega che cosa cambierebbe nel suo lavoro:*

Il mio stipendio adesso è _____ a quello che avrei alla Rinascente,

infatti lì non solo guadagnerei bene, ma fra tre anni avrei delle

possibilità di guadagno _____. Quanto al tempo libero, alla

Rinascente la situazione sarebbe _____: adesso lavoro sei giorni alla

settimana, alla Rinascente invece lavorerei solo cinque giorni. Anche le

possibilità di carriera sarebbero _____. Fra qualche anno potrei

diventare caporeparto. Insomma, sono sicura che alla Rinascente starei

proprio _____.

b. Completate con *migliore, peggiore, inferiore, peggio.*

> *Pietro ha perso il lavoro all'Olivetti perché hanno chiuso la fabbrica. Ora
> lavora in una piccola azienda. Pietro ci spiega perché non è contento del suo
> lavoro:*

Adesso il mio stipendio è _____ a quello di prima. In questo nuovo

lavoro le possibilità di fare carriera sono _____ perché il mio

caporeparto è giovane e i miei colleghi lavorano qui da più tempo. Anche

l'orario di lavoro è _____: una settimana al mese devo lavorare

anche di notte. Insomma devo dire che qui mi trovo _____. Spero solo

di trovare un lavoro _____.

Avrei possibilità maggiori **di** quelle che ho adesso.
Le banche non sono generose **come** i tuoi suoceri.

ESERCIZIO

Fate delle frasi secondo il modello.

> (il tuo lavoro – il mio – interessante)
>
> Il tuo lavoro è *più interessante del* mio.
> Il mio lavoro *non è interessante come* il tuo.

a. la casa di Piero – l'appartamento di Gianni – grande
b. queste scarpe – quelle marroni – comode
c. lo stipendio di Mario – quello mio – alto
d. la facoltà di medicina – quella di lettere – lunga
e. la signora Maria – la signora Lucia – brava

Sei un amico **a cui** posso sempre chiedere un consiglio.
È un lavoro **di cui** comincio ad essere un po' stanco.

ESERCIZIO

Trasformate secondo il modello.

> Ti ho parlato di Maria.
> → Maria è la ragazza *di cui* ti ho parlato.

a. Ho pranzato con Carlo.   Carlo è l'amico …
b. Non andrei mai in vacanza con loro.   Sono delle persone …
c. Vivrei volentieri in Francia.   La Francia è un paese …
d. Chiedo sempre un consiglio a Sergio. Sergio è la persona …
e. Ho saputo tutto da Giuliana.   Giuliana è la ragazza …
f. Lavoro per la Pirelli.   La Pirelli è la società …
g. Posso sempre contare su Daniele.   Daniele è un amico …

ESERCIZIO

Completate con *che* o *cui* preceduto dalla preposizione.

a. Il quartiere _____ vivo è molto tranquillo.

b. Il medico _____ sono stato mi ha consigliato di non fumare.

c. Il film _____ ho visto non mi è piaciuto affatto.

d. Il libro _____ mi hai prestato è molto interessante.

e. Il treno _____ ho viaggiato non ferma a Pisa.

f. Il treno _____ ho preso si è fermato ad Arezzo.

g. Il consiglio _____ mi hai dato è stato prezioso. Grazie!

h. Il corso _____ mi sono iscritto comincia lunedì prossimo.

i. Il corso _____ ho frequentato è stato molto interessante.

21 **E ADESSO TOCCA A VOI!**

Chiedete un consiglio ad un amico o a un conoscente. Scrivete una lettera o parlatene in classe.

a. Lei abita in affitto in un appartamento in centro. In periferia c'è in vendita una bellissima casa con giardino ad un prezzo molto conveniente. Lei ha l'hobby del giardinaggio.

Vantaggi:	– ottimo investimento
	– casa più grande, più spazio
	– giardino
	– aria pulita, tranquillità
	– coniuge d'accordo

Svantaggi:	– rate del mutuo abbastanza alte (ora affitto basso)
	– fuori città: non ci sono cinema, teatri ecc.
	– ora al lavoro con i mezzi pubblici, poi in macchina
	– traffico sulla strada per andare al lavoro
	– figli contrari

b. La Sua ditta Le ha proposto un trasferimento all'estero per un periodo di tre anni.

Vantaggi:	– ottimo stipendio
	– esperienza interessante
	– avanzamento di carriera
	– possibilità di conoscere ambiente nuovo
	– bella casa a disposizione
	– macchina pagata dalla ditta

Svantaggi:	– clima
	– non parlare la lingua del paese
	– famiglia contraria al trasferimento

(22)   **TEST**

I. Completate con il condizionale dei seguenti verbi.

costare   dovere   essere   potere   preferire   volere

I Ferrari _____ comprare un appartamento, però non sono mai

d'accordo. La moglie _____ abitare in centro, perché così _____

andare a piedi al lavoro. Per il marito invece l'appartamento _____

essere in periferia, perché _____ più tranquillo e inoltre

_____ anche di meno.

II. Completate con *che* o *cui* preceduto dalla preposizione.

a. La casa _____ abito è in periferia.

b. Ti piace il cappotto _____ ho comprato?

c. Ecco la moto _____ sono andato in vacanza.

d. È buono il vino _____ comprate in campagna?

e. Il medico _____ sono andato è veramente bravo.

f. Chi è quella ragazza _____ ti ha salutato?

III. Completate con *maggiore, meglio, migliore, superiore.*

a. È vero che il mio stipendio è _____ al suo, però io lavoro più di lui.

b. L'albergo Luna è più caro dell'hotel Grandi, però il servizio è _____.

c. Chi studia le lingue ha _____ possibilità di trovare un buon lavoro.

d. Hai ragione, qui si mangia bene, però secondo me alla trattoria là di fronte si mangia

ancora _____.

Sentiti a casa tua!

Marisa ha intenzione di passare qualche giorno da Marco, ma lui, dovendo partire improvvisamente, le telefona.

(1)

QUESTIONARIO

a. Da dove sta telefonando Marco?

_____

b. Chi ha le chiavi dell'appartamento di Marco?

_____

c. Per non far suonare l'allarme Marisa deve

	una volta ❏		
			destra. ❏
girare la chiave	due volte ❏	verso	
			sinistra. ❏
	tre volte ❏		

d. Quali cose Marisa non deve usare o deve usare con attenzione?

telefono	❏	doccia	❏
automobile	❏	finestra del salotto	❏
forno	❏	porta del bagno	❏
riscaldamento	❏	lavatrice	❏

e. A chi deve lasciare le chiavi dell'appartamento Marisa quando riparte?

_____

DIALOGO

▲ Pronto?

● Buongiorno, è la SNAM?

▲ No, guardi, Lei ha sbagliato numero.
Qui è casa Franceschini.

● Ah, scusi tanto.

▲ Prego.

ESERCIZIO

Ripetete il dialogo con le società e i cognomi
seguenti.

a.	la Gepi	Mancini
b.	la Sir	Leonardi
c.	l'Assitalia	Fagiani
d.	l'Enit	Maretti
e.	la Gescal	Parietti
f.	l'Olivetti	Calò

DETTATO

■ Marco?

● Sì. ___ _____ Marisa?

■ Sì, ma ___ _____ lontanissimo. _____ ___?

● _____ _____ _____, ___ _____.

■ Come stai partendo?!

● Sì, ____ _____ ___ _____ e anzi _____ in un telefono

pubblico e ___ _____ _____.

■ Oh! E _____ _____ allora ____ l'appartamento?

● Eh sì, purtroppo _____ _____, comunque ____ ____ _____

perché ____ ____ lasciato ____ _____ alla vicina.

Ripetete il dialogo secondo il modello.

---

all'aeroporto – partire
andare a Nizza – restare lì fino a maggio

○ Pronto, mi senti?
☐ Sì, ma ti sento lontanissimo. Dove sei?
○ Sono *all'aeroporto*, sto *partendo*.
☐ Come *stai partendo*?!
○ Sì, *sto andando a Nizza* e anzi *resto lì fino a maggio*.

a. alla stazione – tornare in Austria
aspettare il treno – sperare di trovare una
cuccetta

b. all'aeroporto – partire
andare a Parigi – dovere fare ancora il
check-in

c. al porto – partire
andare in Sardegna – dovere fare ancora
il biglietto

d. in macchina in autostrada – andare a Bologna
dovere incontrare un cliente – essere
pure in ritardo

167

(6)   **ESERCIZIO**

Fate dei dialoghi secondo il modello.

> appartamento – dovere partire – lasciare le chiavi alla vicina
>
> ○ E come facciamo allora per l'*appartamento*?
> □ Purtroppo *io devo partire*, comunque non c'è problema perché
> *ho lasciato le chiavi alla vicina*.

a. biglietti – io oggi non potere andare a
prenderli – prenotarli già Sandra

b. baby-sitter – lei dovere studiare – al suo
posto venire un'amica

c. indirizzo di Piero – io non riuscire a
trovarlo – lui darlo anche a Gianni

d. videocassetta – io non avercela più –
registrarla anche Gaetano

e. cena – io dovere lavorare fino alle otto – io
preparare tutto ieri

(7)   **DIALOGO**

● Senti, io ho lasciato qualcosa in frigorifero,
quindi mangia quello che vuoi, bevi quello
che vuoi, insomma, sentiti a casa tua.
■ Grazie, sì.
● E a proposito, ho lasciato degli yogurt
in frigorifero. Mangiali, altrimenti vanno
a male.
■ O.k., va bene.

FATTORIA SCALDASOLE
UNA SANA FILOSOFIA.

sent*ire*	→	**Senti!**
bere	→	**Bevi** quello che vuoi!
mang*iare*	→	**Mangia** quello che vuoi!
sent*irsi*	→	**Sentiti** a casa tua!

⑧   **ESERCIZIO**

> «Ho lasciato qualcosa in frigorifero, quindi mangia quello che vuoi.»

Secondo il modello completate con i seguenti verbi le frasi qui sotto.

mettere   telefonare   bere   dormire

guardare   scrivere   ascoltare   prendere

a. In casa ci sono tre camere da letto, quindi _____ dove vuoi.

b. Ti lascio il mio indirizzo, quindi _____ quando vuoi.

c. Ti lascio il mio numero di telefono, quindi _____ quando vuoi.

d. Nella mia stanza ci sono il video e 50 videocassette, quindi _____ quelle che vuoi.

e. I miei dischi sono lì, quindi _____ quelli che vuoi.

f. In garage ci sono tre biciclette, quindi _____ quella che vuoi.

g. I miei pullover sono in quel cassetto, quindi _____ quelli che vuoi.

h. In frigorifero ci sono vino, birra e Coca Cola, quindi _____ quello che vuoi.

⑨   **ESERCIZIO**

> Ho lasciato *degli yogurt* in frigorifero.
> Mangia**li**, altrimenti vanno a male.

Sostituite adesso *yogurt* con i seguenti piatti.

a. pollo	**f.** fegato
b. uova	**g.** bistecche
c. calamari	**h.** pesce
d. seppie	**i.** gamberi
e. verdura	**j.** cozze

10 ESERCIZIO

Completate i messaggi con i verbi *accendere*, *bere*, *mettere* e *portare*.

a. Ho lasciato il riscaldamento spento. _____, altrimenti poi fa freddo.

b. Ho lasciato le sedie sul balcone. _____ dentro, altrimenti si rovinano.

c. Ho lasciato del latte in frigorifero. _____, altrimenti va a male.

d. Ho lasciato la carne in cucina. _____ in frigo, altrimenti va a male.

e. Ho lasciato i cioccolatini sul tavolino. _____ via, altrimenti il bambino li mangia.

f. Ho lasciato la bicicletta fuori. _____ in cantina, altrimenti si rovina.

11 DIALOGO

● Non usare il forno, per carità, perché perde il gas.
■ Eh, ma sta' tranquillo, tanto non lo uso.
● Benissimo. Ultima cosa: la finestra in salotto. Non aprirla perché è rotta, e poi non si chiude più.
■ O.k., non ti preoccupare, Marco!

Non usare il forno!	Non **usarlo**!
	Non **lo usare**!
Non aprire la finestra!	Non **aprirla**!
	Non **la aprire**!

Non **ti preoccupare**!
Non **preoccuparti**!

Fate il dialogo secondo il modello.

> ○ Non *usare il forno*!
> □ Eh, ma sta' tranquillo, tanto non *lo uso*.
> ○ Non *usarlo*, perché *perde il gas*.
> □ O.k., non ti preoccupare!

a. usare il forno –
perdere il gas

b. suonare il pianoforte –
il vicino protestare

c. chiudere a chiave la porta del
bagno – dopo non aprirsi più

d. prendere la moto –
non funzionare bene

e. aprire la finestra –
dopo non chiudersi più

> Non usare il forno **perché** perde il gas.
>
> Sta' tranquillo, **tanto** non lo uso.

Completate le frasi con *perché* o *tanto*.

a. Sono stanchissimo _____ non ho dormito.

b. Puoi venire quando vuoi, _____ sono a casa tutto il pomeriggio.

c. Sono arrabbiato con lui _____ non mi ha invitato.

d. Dai! Partiamo domani, _____ abbiamo tempo.

e. Il giornale puoi tenerlo, _____ l'ho già letto.

f. Devo restare in ufficio fino alle sette _____ devo parlare con il direttore.

(14) ## DIALOGO

● Senti, io purtroppo devo andare a Napoli
una settimana e devo viaggiare ancora,
quindi non ci vediamo.

■ O.k. Va bene. Ma, quando vado via, che cosa
faccio con le chiavi?

● Ah, dalle alla vicina. Va bene? Senti, io ho
finito i gettoni.

■ Grazie, eh? Grazie ancora dell'appartamento.

● Eh, figurati! Va bene? Ci sentiamo. Va bene?

■ Va bene. Ciao!

Che cosa faccio con le *chiavi*?
Dalle alla vicina.

Dalle = Da' + le

---

(15) ## ESERCIZIO

Ripetete il dialogo secondo il modello.

> □ Che cosa faccio con *le chiavi*?
> ○ *Dalle alla vicina*.

a. il libro / professore   **e.** i dischi / Carla

b. la radio / mia sorella   **f.** la bicicletta / vicino

c. il televisore / Mario   **g.** le videocassette / fratello di Massimo

d. la macchina fotografica / Franco   **h.** la chitarra / portiere

(16)   **ESERCIZIO**

Inserite i verbi nelle seguenti frasi.

    a. Quando attraversi la strada, _____ attenzione alle macchine!

    b. _____ tranquilla, mamma, quando arrivo ti telefono subito!

    c. _____ pure quello che pensi!

    d. _____ pazienza! Prova ancora una volta!

    e. Se sei stanco, _____ in vacanza invece di continuare a lavorare!

    f. _____ gentile, aiutami a tradurre questa lettera!

(17)   **ESERCIZIO**

Fate delle frasi secondo il modello.

> ☐ A chi devo dare *i dischi*?   △ *Dalli* a Carla!
> ☐ Con chi vado *al cinema*?   △ *Vacci* con Giorgio!

    a. Come faccio gli spaghetti stasera?   _____ con il pesto!

    b. L'ascensore non funziona. A chi devo dirlo?   _____ al portiere!

    c. A chi devo dare questo pacco?   _____ a Luisa!

    d. Quando devo andare in banca?   _____ domani!

    e. Quanto tempo posso stare ancora qui?   _____ quanto vuoi!

    f. Con chi devo fare l'esercizio?   _____ con Mario!

    g. Quando devo andare a comprare il latte?   _____ a comprare subito!

    h. A chi devo dare i libri?   _____ a Carlo!

(18)   **ESERCIZIO**

Cercate nei dialoghi e nel dettato le seguenti espressioni.
Come direste nella vostra lingua?
Scrivetelo qui sotto.

○ Figurati!   _____

○ Non ti preoccupare!   _____

○ Per carità!   _____

○ Come?!   _____

(19)   **ESERCIZIO**

Inserite adesso queste espressioni nelle seguenti frasi.

a. ☐ Posso prendere la macchina?   △ No, _____ non prenderla, perché perde l'olio!

b. ☐ Tieni sempre basso il volume del televisore!   △ _____, tanto io la televisione non la guardo mai.

c. ☐ Grazie. Sei stato veramente gentilissimo.   △ _____ .

d. ☐ Il televisore non funziona più.   △ _____ non funziona più?!

E ADESSO TOCCA A VOI!

Formate delle coppie. Uno di voi lascia l'appartamento all'altro per una settimana e fa le raccomandazioni necessarie all'amico che deve rispondere tranquillizzando o chiedendo informazioni.

(21)

LETTURA

Giancarlo ha lasciato l'appartamento al suo amico Massimo.
Ecco il biglietto che Massimo trova quando arriva a casa di Giancarlo.

Benvenuto!

Ti scrivo brevemente quello che non sono riuscito a dirti al telefono.
Dunque, la casa è tutta per te, ti auguro un buon soggiorno a Roma. Noi ci vediamo fra due settimane. Solo qualche raccomandazione.
Prima di tutto quando esci di casa, tira sempre bene la porta perché è difettosa e altrimenti resta aperta. Se fai la doccia, attenzione dopo a chiudere bene l'acqua calda perché il rubinetto perde. Ogni volta che mangi, fammi il piacere di pulire subito tutto, perché ci sono le formiche e, se lasci in giro qualcosa, mi invadono subito la casa. Se usi la lavatrice, prima ti consiglio di spegnere lo scaldabagno e viceversa; se sono accesi tutti e due, la corrente salta facilmente.
La sera ti raccomando di innaffiare sempre le piante. Se non lo fai regolarmente, con il caldo che fa, si seccano. Come sai già, ho uno stereo nuovo; usalo pure, ma tieni sempre basso il volume, altrimenti il vicino protesta. Fa' tutte le telefonate che vuoi e, se qualcuno chiama, rispondi, oppure non ti preoccupare, tanto ho inserito la segreteria telefonica. È tutto.
Ciao, a presto e buon divertimento a Roma!

Giancarlo

a. Trascrivete gli imperativi presenti nella lettera di Giancarlo.

b. Oltre a questi imperativi Giancarlo usa delle espressioni per formulare delle richieste o per fare delle raccomandazioni. Trascrivetele.

22 ESERCIZIO

Trasformate le frasi secondo il modello.

> Quando esci di casa *ti raccomando di tirare* sempre bene la porta, *perché* è difettosa e resta aperta.
>
> Quando esci di casa *tira* sempre bene la porta, *altrimenti* resta aperta.

a. Se fai la doccia *attenzione a chiudere* bene l'acqua calda perché il rubinetto perde.

Se fai la doccia _____, altrimenti _____.

b. Ogni volta che mangi *ti prego di pulire* subito tutto perché ci sono le formiche, e se lasci qualcosa vengono subito.

Ogni volta che mangi _____, altrimenti _____.

c. La sera *ti raccomando di innaffiare* sempre le piante. Se non lo fai regolarmente, con il caldo che fa, si seccano.

La sera _____, altrimenti _____.

d. Se usi la lavatrice, prima *ti consiglio di spegnere* lo scaldabagno e viceversa; se sono accesi tutti e due, la corrente salta facilmente.

Se usi la lavatrice _____, altrimenti _____.

23 ESERCIZIO

Secondo il modello collocate i verbi e metteteli all'imperativo.

> Ho uno stereo nuovo; *usalo* pure!

a. In garage c'è la mia bicicletta; _____

b. C'è della carne in frigorifero; _____

c. Ti lascio la macchina; _____

d. C'è dello spumante in cantina; _____

e. In soggiorno c'è la mia chitarra; _____

f. Le mie cassette sono tutte per te; _____

bere

usare

prendere

mangiare

suonare

ascoltare

PUBBLICITA' PROGRESSO. LA PUBBLICITA' ITALIANA A DIFESA DEGLI INDIFESI.

Per i 254.000 non vedenti italiani una passeggiata in centro può diventare un percorso a ostacoli. Per colpa nostra.

Ci sono semplici norme di civiltà che spesso non vengono osservate neanche da chi ha dieci decimi. Eccone alcune.

Non parcheggiate in modo da ostruire il marciapiede.

Non gettate rifiuti per terra e se portate in giro il cane, portate anche una paletta.

Non fate rumore inutile: un non vedente si orienta con l'udito. Non zittitevi improvvisamente quando lo incontrate: vi rendereste invisibili.

Se lo aiutate per strada o sull'autobus, non afferrate il suo braccio, ma offritegli il vostro.

Quando vi separate, attenti a non lasciarlo davanti a un palo o a uno scalino. Salutatelo sempre: un sorriso o un cenno della testa non servono.

Seguite queste regole e il vostro buon senso: avrete già fatto molto.

Se volete fare ancora di più, prestate i vostri occhi, le vostre mani, la vostra voce alle associazioni dei non vedenti, anche per poche ore alla settimana.

(Per informazioni, chiamate il numero 1678-66119).

Dare un grande aiuto a chi non vede è facile: basta essere un po' più gentili. Ricordate che la cortesia aiuta tutti a vivere un po' meglio: vedenti e non vedenti.

IL GUAIO DEI NON VEDENTI E' VIVERE IN UN MONDO DI CIECHI.

Trascrivete sul vostro quaderno le forme dell'*imperativo* con il voi e le forme dell'*indicativo* con il voi.

(25)   **TEST**

I. Completate con l'imperativo confidenziale.

    a. Non _____ tante sigarette!

    b. Se sei stanco, ____ in vacanza!

    c. Se la tua macchina non funziona, _____ la mia!

    d. In frigo ci sono degli yogurt, _____ pure!

    e. Mi raccomando, _____ basso il volume del televisore!

    f. Sto benissimo, mamma! _____ tranquilla!

    g. Non _____ la macchina per andare dal tabaccaio! _____ a piedi, è qui vicino!

II. Completate le frasi con *altrimenti, anzi, come, comunque, perché, quando, quindi, se, tanto.*

    a. Siamo stanchi _____ abbiamo lavorato tutto il giorno.

    b. Se non ho le chiavi, _____ faccio ad entrare a casa tua?

    c. Metti subito la carne in frigorifero, _____ la mangia il gatto.

    d. Resta ancora un po', _____ è ancora presto!

    e. Io torno domenica sera, _____ se parti di mattina non possiamo vederci.

    f. La sera innaffia sempre le piante. ____ non lo fai, si seccano.

    g. _____ vai via, lascia le chiavi al vicino.

    h. Stasera devo partire per Milano e _____ spero di trovare ancora una cuccetta.

    i. Stasera devo partire per Milano _____ la cuccetta ce l'ho già.

Ci pensi Lei!

Il capufficio, prima di andare via, dà alcune istruzioni alla sua segretaria.

(1)

QUESTIONARIO

a. A che ora ritorna il capufficio? _____

b. Indicate quello che la segretaria deve fare:

tradurre delle lettere	❑
correggere delle lettere	❑
battere a macchina delle lettere	❑
spedire delle lettere	❑
archiviare degli articoli	❑
fotocopiare degli articoli	❑

c. Che cosa non funziona più? _____

d. Da chi deve andare la segretaria per fare le fotocopie?

_____

e. Che cosa pensa il capufficio dell'offerta del signor Occhipinti?

_____

f. Il capufficio vuole	spostare ❑		il medico. ❑
	fissare ❑	l'appuntamento con	l'avvocato. ❑
	disdire ❑		il dentista. ❑

DIALOGO

■ Senta, sul mio tavolo ci sono delle lettere. Le batta subito a macchina e le spedisca oggi stesso.
● Va bene.
■ Mi raccomando!
● Sì, non si preoccupi!
■ Bene, e poi un'altra cosa. Ci sono anche degli articoli, faccia due fotocopie di ognuno.
● D'accordo.

guard*are*	→	guard**i**!
batt*ere*	→	batt**a**!
sent*ire*	→	sent**a**!
sped*ire*	→	spedis**ca**!
fare	→	**faccia**!
Preoccup*arsi*	→	(non) **si** preoccup**i**!

ESERCIZIO

Completate le frasi con i verbi all'imperativo, inserendo anche i pronomi *lo, la, li, le, ne*.

> delle lettere – battere a macchina
>
> Sul mio tavolo ci sono delle lettere, *le batta* subito a macchina!

Sul mio tavolo c'è / ci sono …

a. il testo di un telegramma – spedire
b. il bilancio – portare al dottor Arcangeli
c. una mia lettera in inglese – correggere
d. degli inviti – spedire uno al signor Ughi
e. un dischetto con il testo della mia relazione – stampare
f. la posta – aprire
g. una lettera – fare una copia
h. dei documenti – fotocopiare
i. delle ricevute – portare al ragioniere

DIALOGO

● Guardi, dottore, che la fotocopiatrice non funziona.

■ Ancora?

● Eh, si è rotta proprio adesso. Che faccio, chiamo il tecnico?

■ Eh … chiami il tecnico, però il fatto è che ormai è vecchia, e poi è lenta, non so se vale la pena di farla riparare ancora una volta. Forse è meglio comprarne una nuova.

ESERCIZIO

Rispondete alle domande secondo il modello.

> ○ Che faccio, chiamo il tecnico?
> □ Eh … chiami il tecnico.

Che faccio…

a. telefono all'agenzia?
b. prenoto una cuccetta?
c. scrivo una lettera?
d. chiamo un taxi?
e. sposto l'appuntamento?

f. faccio una telefonata?
g. domando al direttore?
h. parlo con l'avvocato?
i. preparo il contratto?

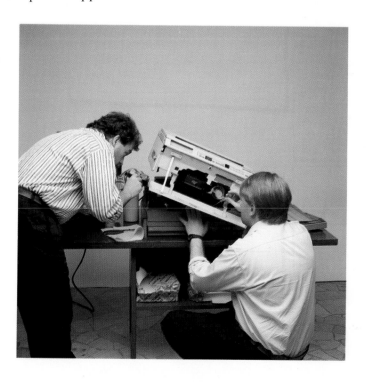

ESERCIZIO

Completate i fumetti.

Allora, usciamo?

Ormai _____ , non so se vale la pena di _____ . Forse è meglio _____ _____ .

Entriamo lo stesso?

Ormai il film _____ , non so se vale la pena di _____ . Forse è meglio _____ .

E che facciamo adesso?

Ormai _____ il rapido, non so se vale la pena di _____ . Forse è meglio _____ .

Ne riparliamo, va bene?

Ormai _____ , non so se vale la pena di _____ . Forse è meglio _____ .

restare a casa

è cominciato

abbiamo perso

ci siamo detti tutto

lasciare perdere

andare in un altro cinema

partire con la macchina

discutere ancora

è tardi

uscire

entrare

aspettare un altro treno

(7)

DIALOGO

● Allora che faccio? Lo chiamo il tecnico o no?

■ Sì, lo chiami, però gli dica di portarci una fotocopiatrice nuova, perché questa ormai non ci serve più.

● Sì. E per le fotocopie come faccio?

■ E per le fotocopie come sempre vada dall'architetto qui sopra, dalla signora Martini, e le chieda se ci fa fare le fotocopie, tanto è gentile e ci dice sempre di sì.

dire	→	**dica**!
andare	→	**vada**!

Chiami il tecnico e **gli** dica di portare una fotocopiatrice.

Vada dalla signora Martini e **le** chieda se **ci** fa fare delle fotocopie.

(8)

ESERCIZIO

Formate delle frasi secondo il modello.

> Telefonare all'ing. Bertoni e – chiedere se ha parlato con il dott. Massi.
>
> Telefoni all'ing. Bertoni e *gli chieda* se ha parlato con il dott. Massi.

Andare dalla signora Manzi e		domandare se è arrivato il fax.
Scrivere una lettera all'architetto e		ricordare di mandare una copia del progetto.
Chiamare il tecnico e		dire di venire subito.
Mandare un fax alla signora Parini e	gli	chiedere di tradurre questo contratto.
Parlare con la Sua collega e	le	raccomandare di essere puntuale.
Telefonare all'avvocato e		fissare un appuntamento per dopodomani.
Scrivere alla signora Bini e		spiegare tutto.

ESERCIZIO

Fate il dialogo secondo il modello.

> chiamare il tecnico – dire di portarci una fotocopiatrice nuova
>
> ○ Allora che faccio, *lo* chiamo il tecnico o no?
> □ Sì, lo chiami, però *gli* dica di portarci una fotocopiatrice nuova.

a. avvertire il signor Santi – dire di non preoccuparsi
b. invitare la signora Neri – scrivere di confermare se viene
c. chiamare l'elettricista – dire di venire oggi pomeriggio
d. aiutare la collega – spiegare come funziona il programma
e. chiamare la traduttrice – ricordare di finire presto il lavoro
f. avvertire il ragioniere – raccomandare di non parlare con i colleghi

> La nostra fotocopiatrice è vecchia:
> ormai non ci **serve** più.

  ESERCIZIO

Completate con *servire* e con i pronomi necessari.

> Maria, *ti servono* i libri d'inglese?

a. Prendi pure la mia macchina, tanto oggi non _____ .

b. Scusi, signorina, _____ questi fogli?

c. Se _____ qualcosa, venite da me.

d. Mario ha detto che oggi il computer _____ fino alle 5.

e. Marco, se _____ aiuto, telefonami quando vuoi.

f. _____ un consiglio. A chi possiamo chiedere?

g. Prendi le chiavi di Chiara, tanto oggi non _____ .

h. Mario e Paolo hanno detto che per finire quel lavoro _____ ancora due settimane.

Trasformate le frasi secondo i modelli.

Il direttore ha detto alla segretaria: La segretaria adesso dice:

Telefoni al signor Vitrano e *gli dica di* portarci una fotocopiatrice nuova.

Vada dalla signora Magri e *le chieda se* ci fa fare le fotocopie.

Signor Vitrano, per favore, *ci porti* una fotocopiatrice nuova!

Signora Magri, *ci fa fare* le fotocopie, per favore?

Che cosa ha detto il direttore alla segretaria?

a. Signor Mauri, per favore, spedisca il telegramma!

Vada _____ signor Mauri e _____ .

b. Signor Perotto, possiamo usare il Suo computer?

Telefoni _____ signor Perotto e _____ .

c. Signora Zuccari, prenoti due posti in treno, per favore!

Telefoni _____ signora Zuccari e _____ .

d. Signorina Martelli, ci presta la Sua macchina da scrivere?

Vada _____ signorina Martelli e _____ .

e. Signor Cardone, ci fa provare la sua stampante?

Telefoni _____ signor Cardone e _____ .

f. Signora Reali, chiami la ditta SCAM, per cortesia!

Vada _____ signora Reali _____ .

DIALOGO

■ Va bene, allora a questo punto io vado via.

● Sì. No, guardi, scusi, un attimo ancora … ha telefonato il signor Occhipinti per quel software.

■ Ho capito. No, guardi, non ci interessa … . Facciamo così: gli scriviamo una lettera. Anzi, la scriva Lei perché io adesso non ho tempo. Trovi Lei le parole. Ci pensi Lei. Va bene?

● Va bene.

ESERCIZIO

Con le seguenti espressioni formate delle frasi secondo il modello.

> Facciamo così: scriviamo una lettera. Anzi, la scriva Lei perché io adesso non ho tempo. Ci pensi Lei.

Facciamo così …

a. guardare la posta

b. correggere il testo

c. controllare la relazione

d. rivedere il discorso

e. chiamare il dottor Ramozzi

f. fare le fotocopie

g. prenotare i posti in treno

h. spedire gli inviti

> **A questo punto** io vado via.
>
> La fotocopiatrice **ormai** è vecchia e non ci serve più.

(14)   **ESERCIZIO**

Inserite *a questo punto* o *ormai* nelle seguenti frasi.

a. È inutile che ci sbrighiamo, _____ il treno è partito.

b. Bene. Tutto è a posto. _____ possiamo partire.

c. A casa non c'è niente da mangiare. _____ vado al ristorante.

d. È tanto tempo che non vedo Mario. _____ sono dieci anni.

e. Sono le 8.30, _____ il film è cominciato. Andiamo a prendere una pizza.

f. Allora, la cena è pronta, gli ospiti arrivano fra mezz'ora. _____

   possiamo fumarci in pace una sigaretta.

g. _____ è un'ora che aspetto. _____ io vado via.

h. Io e mia moglie _____ siamo sposati da 15 anni.

i. Vuoi andare ancora una volta a vedere «Casablanca»? Ma no, dai!

   _____ lo conosciamo a memoria.

j. Sono le tre di notte e Mario non è ancora ritornato.

   _____ io chiamo la polizia.

(15)   **DETTATO**

● _____ dottore, _____ una cosa: _____ _____ _____

   _____ via un pochino _____ , ma se _____ ha qualcosa in contrario …

■ ____ , in linea di massima no, ma comunque _____ _____ _____ : si metta

   d' _____ con la Sua _____ _____ naturalmente _____

   _____ rimanere ___ _____ .

● _____ .

187

16   <u>**ESERCIZIO**</u>

Leggete ancora una volta i dialoghi e il dettato e cercate fra quelle indicate qui sotto ...

a. le espressioni che il capufficio usa per ...

○ dire di non dimenticare: _____

○ constatare un fatto: _____

○ esprimere perplessità: _____

○ annunciare che sta per fare qualcosa: _____

○ delegare una decisione: _____

○ fare una constatazione in generale: _____

b. le espressioni che la segretaria usa per ...

○ tranquillizzare il capufficio: _____

○ dire di sì: _____

○ informarlo su qualcosa che lui non sa: _____

○ invitare il capufficio a darle una disposizione: _____

ESERCIZIO

Inserite adesso queste espressioni nelle seguenti frasi.

a. ○ Buongiorno, signora, mi dica!

△ Mi dia una mozzarella, ma fresca, _____!

b. □ Hai voglia di andare al cinema stasera?

△ Ma sai, _____ sono appena ritornato da Milano,

e poi è già un po' tardi. _____ di uscire stasera,

forse è meglio andarci domani.

c. ○ Senti, sono ancora in ufficio e devo lavorare fino alle sei. Prepari

tu la cena stasera?

□ Veramente non ho tanta voglia di cucinare. Senti, _____

ci incontriamo al bar Mignon, prendiamo un aperitivo e poi

andiamo a mangiare una pizza.

○ _____

d. △ Signorina, _____ quelle lettere le deve scrivere prima

delle 11.00!

□ _____, dottore, le scrivo subito!

e. ○ Domani sera non potresti smettere di lavorare un po' prima?

□ _____ sì, però dovrei mettermi d'accordo con i

miei colleghi.

f. ○ Allora, dottore, _____, prenoto un tavolo al «Leon d'Oro» o

alla «Capannina»?

△ Mah, sono tutti e due dei buoni ristoranti. Non saprei, _____,

per me è lo stesso.

E ADESSO TOCCA A VOI!

Uno di voi è il direttore di un ufficio e l'altro un suo dipendente. Il
direttore dice al dipendente quello che deve fare. Purtroppo il direttore non
sa che in ufficio ci sono molte cose che non funzionano ...

<u>**LETTURA**</u>

Ecco la lettera che la segretaria scrive al signor Occhipinti.

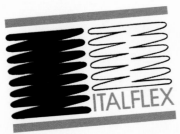 ITALFLEX

38100 TRENTO - Via del Commercio, 39 - ☎ 0461/820108 - Partita IVA n. 01107440222

Spett.le
Dolomiti Computer
Service S.r.l.
Via Latemar 5
38037 PREDAZZO (TN)
- sig. Federico Occhipinti -

Trento, 10.03.19..

Ogg.: Offerta programma gestione archivi
Rif.: Vs. scritto del 28.02.19..

Egregio signor Occhipinti,

abbiamo esaminato con attenzione la Sua proposta circa la vendita
di un programma per la gestione del nostro archivio. La ringraziamo
vivamente per l'interesse dimostrato, ma siamo dolenti di informarLa
che abbiamo già provveduto a risolvere questo problema. Le assicuriamo,
ad ogni modo, che siamo sempre interessati ad una Sua futura collaborazione con la nostra ditta.

RingraziandoLa comunque di averci contattato, Le porgiamo i nostri
più distinti saluti.

p. il Direttore

A. Giuliani

Scrivete le espressioni che nella lettera sono usate per dire

«abbiamo guardato con attenzione»   _____

«ci dispiace»   _____

«abbiamo trovato una soluzione»   _____

«ci interessa»   _____

«salutiamo»   _____

(20)   **ESERCIZIO**

Scrivete qui sotto i verbi della lettera che hanno il pronome *Le* e quelli che reggono il pronome *La*.

            Le   La

    _____   _____

    _____   _____

(21)   **ESERCIZIO**

La segretaria ha scritto un'altra lettera ad una società:

Trento, 7 marzo 19..

Ogg.: Offerta programma gestione archivi
Rif.: Vs. scritto del 14.02.19..

Spett. Grassetti s.r.l.,
    abbiamo il piacere di informarVi che siamo interessati all'acquisto del Vs. programma per la gestione archivi. A tale proposito Vi assicuriamo fin d'ora la nostra disponibilità a metterci in contatto con Voi nei prossimi giorni.

In attesa di rivederci al più presto presso i nostri uffici, Vi ringraziamo e Vi porgiamo i nostri più distinti saluti.

p. il Direttore

A. Giuliani

Riscrivete la lettera iniziando con *Egregio signor Grassetti.*

(22)   **TEST**

I. Completate le frasi con i pronomi diretti o indiretti.

   a. Ho incontrato Mario e _____ ho detto di venire.

   b. Abbiamo telefonato a Franco ma non _____ abbiamo trovato a casa.

   c. Se la Sua collega non sa usare il computer, _____ aiuti Lei!

   d. Franca e Lucio oggi non escono: la macchina non _____ serve.

   e. Signorina, se telefona mia moglie _____ dica che sto arrivando.

   f. Franca e Rosalia vengono domani, _____ aspetto alle undici.

   g. Signor Rossi, _____ ringrazio tanto per la Sua cortesia!

   h. Ho telefonato ai signori Chiarini e _____ ho invitati a cena.

II. Completate con l'imperativo formale dei seguenti verbi.

   | andare – battere – dire – prendere – preoccuparsi – telefonare |

   a. Se non vuole camminare, _____ l'autobus!

   b. Il dottor Bruschi è un bravo dentista, _____ da lui!

   c. Ecco queste lettere: le _____ subito a macchina, per cortesia!

   d. Quando arriva il signor Rossi gli _____ di aspettare un momento!

   e. Oggi non ho più tempo: _____ Lei all'avvocato, per favore!

   f. Ci penso io, dottoressa, non _____ !

Non lo sapevo!

Roberto racconta a Marta che cosa ha fatto
durante le vacanze.

QUESTIONARIO

Vero o falso?   v   f

a. Roberto è stato in Francia per tre settimane.   ❏   ❏

b. Ha abitato in una pensione.   ❏   ❏

c. Ha conosciuto qualche francese.   ❏   ❏

d. Ha fatto escursioni.   ❏   ❏

e. È stato anche a Nizza.   ❏   ❏

f. Ha frequentato un corso di francese
per principianti.   ❏   ❏

g. Oltre a studiare si è anche divertito.   ❏   ❏

② **DIALOGO**

■ Ciao, Roberto.
● Ciao, Marta.
■ Ho saputo che sei stato in Francia.
● Sì, sono stato in Francia per un mese.
■ Ah accidenti, bello!
● Sì, sì, molto bello.
■ E che cosa hai fatto lì?
● Ho frequentato un corso di francese.

③ **ESERCIZIO**

Ripetete il dialogo cambiando i posti, la durata del soggiorno, e le attività svolte.

a. Roma / due settimane / visitare la città
b. Spagna / dieci giorni / fare un giro con la motocicletta
c. Londra / tre mesi / lavorare in un albergo
d. Firenze / tre settimane / studiare l'italiano
e. Toscana / venti giorni / riposarsi
f. Puglia / due settimane / fare un corso di windsurf

  ④ **DIALOGO**

■ Era organizzato bene il corso?
● Molto bene. C'erano le lezioni tutte le mattine. Poi c'era la pausa per il pranzo. Poi si andava ancora ai corsi. E dopo si era liberi, e si andava in paese o si restava lì all'università.
■ E si mangiava bene?
● Si mangiava bene. Almeno io ho sempre mangiato bene. Poi, naturalmente, c'è chi trova il pelo nell'uovo … ma io devo dire che sono soddisfatto.

> C'**erano** le lezioni tutte le mattine.
> Poi c'**era** la pausa per il pranzo.
> Poi si **andava** ancora ai corsi.

> Il pomeriggio **si era** liber**i**.

⑤ ESERCIZIO

Fate le domande secondo il modello.

> corso: la mattina studiare – il pomeriggio essere liberi
>
> ☐ Era organizzato bene *il corso?*
> ○ Molto bene. *La mattina si studiava* e poi *il pomeriggio si era liberi.*

a. lavoro: la mattina lavorare – il pomeriggio essere liberi
b. viaggio: partire alle 7.00 – viaggiare tutto il giorno –
                    la sera essere stanchi, ma soddisfatti
c. congresso: la mattina essere occupati con le relazioni –
                    il pomeriggio giocare a tennis o andare in piscina
d. lezioni: la mattina essere impegnati con lo studio – la sera
                    andare in città – prendere qualcosa al bar o andare a ballare
e. escursioni: la mattina andare in gruppo – camminare tutto il giorno –
                    la sera chiacchierare seduti intorno al fuoco – essere contenti
                    e cantare

> Si **mangiava** bene?   (= generalmente)
>
> Io **ho** sempre **mangiato** bene. (= ogni volta)

⑥ ESERCIZIO

Rispondete alle domande secondo il modello.

> ○ E si mangiava bene in Francia?
> ☐ *Si mangiava bene.* Io almeno *ho* sempre *mangiato bene.*

a. Si dormiva bene nella casa dello studente?   **d.** Si aveva contatto con la gente?
b. Si studiava molto in quella scuola?   **e.** Si stava bene in quella pensione?
c. Si imparava molto durante il corso?   **f.** Si parlava molto durante le lezioni?

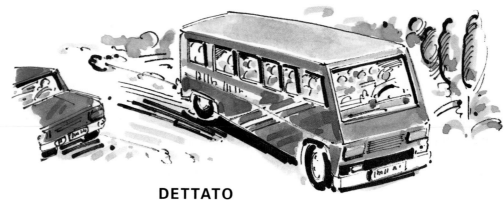

(7)

DETTATO

■ E il fine-settimana che facevi?

● Eh, anche lì era organizzato _____ _____, _____ si partiva

_____ con dei pullman __ _____ o __ _____, a volte

_____ __ _____ __ __ _____, e si andava nei _____

_____ a Montpellier __ _____ _____ _____ _____.

■ _____.

● Sì, sì. Si andava _____ __ _____. _____ _____ _____ paesi,

carini, _____. Per esempio una volta siamo stati anche a Nizza.

> Si partiva **sempre** con dei pullman.
>
> **Una volta** siamo stati a Nizza.

(8)

ESERCIZIO

Fate le frasi secondo il modello.

> Si (andare) *andava* sempre al mare, una volta (andare) *siamo andati* in montagna.

a. Si (mangiare) _____ sempre alla mensa, una volta (mangiare) _____ al ristorante.

b. Si (andare) _____ sempre fuori, una volta (restare) _____ in città.

c. Si (partire) _____ sempre presto la mattina, una volta (partire) _____ la sera.

d. Si (guardare) _____ sempre la televisione, una volta (andare) _____ al cinema.

e. Si (lavorare) _____ sempre tutto il giorno, una volta (fare) _____ una festa.

f. Si (giocare) _____ sempre a tennis, una volta (giocare) _____ a calcio.

Susanna Agnelli è nata a Torino nel 1922.
È sorella di Gianni Agnelli, il presidente della
Fiat. È stata prima consigliere comunale (PRI)
e poi sindaco di Porto Santo Stefano,
sull'Argentario. È stata anche deputata del
Parlamento Europeo. In una pagina del suo
libro autobiografico *Vestivamo alla marinara*
racconta come passava le vacanze a Cap
Martin, in Francia.

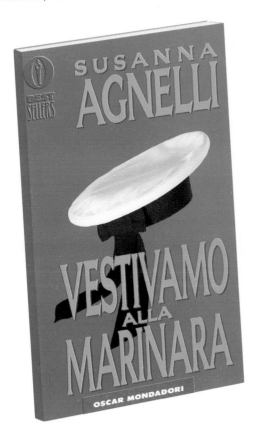

A casa, avevamo amici che venivano ad abitare;
andavamo a fare il bagno nella piscina di Montecarlo
Beach, mettevamo monete nelle «slot machines», com-
pravamo cibi esotici nei negozi, ci sdraiavamo al sole,
stavamo seduti all'ombra, non ci cambiavamo per il
pranzo, non ci alzavamo per il breakfast, andavamo in
giro seminudi, dormivamo in qualsiasi momento, in
qualsiasi camera (…).

Mia madre usciva spesso. Tutti gli uomini si
innamoravano di lei. Gettava indietro la sua piccola
testa castana e scuoteva i riccioli ombreggiati di rosso,
ridendo. Noi scherzavamo con lei, la divertivamo, poi
la facevamo arrabbiare, perché, quando aveva visite, ci
presentavamo parlando con uno spiccato accento piemontese che lei non poteva soffrire.

Andavamo insieme a girare per i negozi, cammina-
vamo per i sentieri del Cap, andavamo a fare il bagno
nelle ville dei vicini che avevano la piscina o nuotava-
mo, giù, dalla spiaggetta nostra.

10 **E ADESSO TOCCA A VOI!**

a. Pensate alle vostre ultime vacanze. Scrivete sul primo foglio alcune delle attività che svolgevate generalmente e sull'altro quelle che avete fatto una volta.

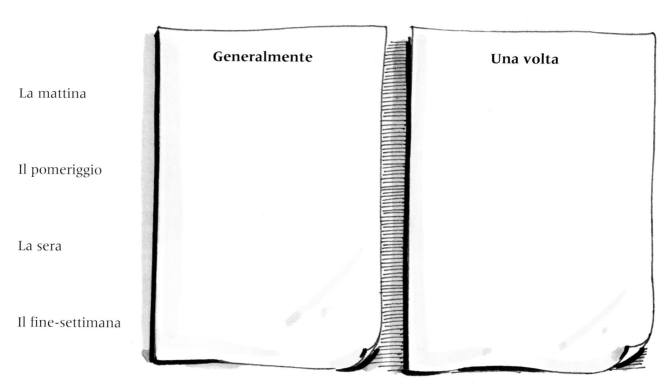

La mattina

Il pomeriggio

La sera

Il fine-settimana

b. Intervistate un vostro compagno di corso. Domandategli dove è stato in vacanza, poi chiedetegli di raccontarvi cosa faceva la mattina, il pomeriggio, la sera o il fine-settimana.

11 **DIALOGO**

2 46

■ E così hai imparato il francese.
● Beh, no, io conoscevo già il francese.
■ Ah! ... Lo parlavi già?
● E beh, certo, perché io ... non lo sapevi?
Io ho studiato il francese all'università.
■ Ah!
● Mi sono laureato in francese.
■ Ah! Non lo sapevo proprio.

Ho **saputo** che sei stato in Francia.

Non lo **sapevi**? Io ho studiato il francese;

Io **parlavo** già il francese.
Io **conoscevo** già il francese.

(12) ## ESERCIZIO

Passato prossimo o imperfetto?

a. Franco è laureato in legge. (Voi – non saperlo) _____?

b. Quando (Lei – sapere) _____ la notizia?

c. Lei parla bene il tedesco. Io non (saperlo) _____.

d. Noi (conoscere) _____ già i Neri. Li (conoscere)

_____ l'estate scorsa al mare.

e. Flavia (parlare) _____ già lo spagnolo prima di trasferirsi a Madrid?

(13) ## ESERCIZIO

Passato prossimo o imperfetto?

(io – sapere) _____ che (tu – fare) _____ un corso di sci.

☐ Sì, (io – essere) _____ a Madonna di Campiglio per una settimana.

E così (tu – imparare) _____ a sciare.

☐ Beh, no, (io – migliorare) _____ lo stile.

Ah, perché (tu – sapere) _____ sciare già?

☐ Certo! (io – imparare) _____ tanti anni fa.

(14) ## E ADESSO TOCCA A VOI!

Certamente avete frequentato un corso (lingue, sport, etc.) nel vostro paese
o anche all'estero. Raccontate che cosa facevate generalmente e se qualche
volta avete fatto qualcosa di particolare.

LETTURA

Lara Cardella è nata a Licata il 13 novembre 1969. Il suo primo libro *Volevo i pantaloni* ha vinto un concorso letterario per giovani scrittori.

Lara ha scritto questo libro quando era studentessa universitaria a Palermo. La prima edizione è stata pubblicata nel 1989.

Avevo meno di dieci anni. In quel periodo più che con i miei genitori stavo da mia nonna, la madre di mio padre. Eravamo una famiglia unita: in quella casa si riunivano i fratelli e le sorelle di mio padre, con i loro figli. Io ero la nipote prediletta, sia da mia nonna che dai miei zii. Lei, addirittura la chiamavano «la nonna di Annetta». I miei zii, dal canto loro, si occupavano più di me che dei loro figli, mi coccolavano e mi riempivano di premure.

Era un periodo davvero felice della mia vita: uscivo da scuola, andavo da mia nonna che abitava a pochi metri di distanza e lì restavo per tutto il pomeriggio e la sera; talvolta dormivo pure là. I pomeriggi li trascorrevo in tutta serenità, giocando con i miei cugini e amici. Alcune volte andavamo da mia zia Vannina, che ci faceva giocare o ci raccontava storie di spiriti.

Mia zia Vannina era la sorella minore di mio padre e aveva un carattere allegro e, per certi versi, un po' infantile. Per noi bambini era una festa andare a casa sua, perché ci sentivamo più amati che a casa nostra. Lei non solo scendeva al nostro livello, giocando con noi, ma ci faceva pure salire al suo livello, ci faceva sentire grandi: ci faceva lavare le scale, i piatti, i vestiti e non ci dava niente in cambio, e non solo noi non ci lamentavamo, ma eravamo addirittura noi stessi a chiederle di farci fare quei lavori che, a casa nostra, fuggivamo come la peste. Ma lei aveva metodo e pazienza.

Indicate se le seguenti affermazioni sono vere o false.

	v	f
a. Solo la nonna amava molto Annetta.	❏	❏
b. La casa della nonna era vicino alla scuola dove andava Annetta.	❏	❏
c. Il padre di Annetta era più giovane di sua sorella Vannina.	❏	❏
d. I bambini erano contenti di lavorare per la zia Vannina.	❏	❏
e. I bambini lavoravano volentieri anche a casa loro.	❏	❏

Trascorrevamo i pomeriggi **giocando** con i cugini e gli amici.

La zia scendeva al nostro livello **giocando** con noi.

(16) **ESERCIZIO**

Completate le frasi con il gerundio.

a. Marco passava le mattine (studiare) _____.

b. L'autobus non passava mai, si arrivava prima (andare) _____ a piedi.

c. Mario ha imparato a usare il computer (leggere) _____ dei libri e delle

   riviste specializzate.

d. Siamo arrivati lassù (prendere) _____ un'altra strada.

e. Hanno passato la serata (ballare) _____ e (cantare) _____.

f. (Partire) _____ presto non si incontra traffico.

Più che con i miei genitori stavo da mia nonna.

I miei zii si occupavano **più** di me **che** dei loro figli.

A casa di mia zia ci sentivamo **più** amati **che** a casa nostra.

(17) **ESERCIZIO**

Fate delle frasi secondo il modello.

> io – stare con i miei genitori – da mia nonna
>
> Più che *con i miei genitori, stavo da mia nonna.*
> *Stavo* più *da mia nonna* che *con i miei genitori.*

a. io – studiare all'università – a casa

b. noi – viaggiare in aereo – in treno

c. loro – mangiare a casa – al ristorante

d. Alessandro – lavorare di giorno – di notte

e. noi – uscire il sabato – la domenica

f. sua figlia – leggere libri – giornali

g. voi – andare a teatro – al cinema

h. loro – interessarsi di letteratura – di politica

E ADESSO TOCCA A VOI!

Raccontate come era la vostra infanzia, quanti eravate in famiglia, cosa facevate, con chi giocavate e se eravate particolarmente legati ad una persona.

LETTURA

Cara signora Mocchetti,

La ringrazio tanto insieme a mia figlia Beatrice dei begli orecchini che ha voluto regalare a mia nipote Alessia e Le mando una foto scattata in occasione del suo battesimo, avvenuto due settimane fa.

Come vede, quel giorno ero molto emozionata anche perché, in quest'occasione, è tornata in Italia mia figlia Rosanna (accanto a me nella foto) che, come Lei sa, vive negli Stati Uniti e che non vedevo da più di due anni. Dietro a Beatrice ci sono i suoi suoceri, i signori Achilli, e accanto a lei, con in braccio la piccola Alessia, mia nuora Daniela e mio figlio Mario che hanno fatto da madrina e da padrino alla nipotina. Dietro a don Alfio c'è mio genero David, marito di Rosanna. Accanto a lui Silvana, figlia di Mario; poi con in braccio Miriam (l'altra figlia di Beatrice), Elisabeth, figlia di Rosanna. Dietro di lei Silvia, la cognata di Beatrice, con in braccio Angela, l'altra figlia di Mario. Andrea, il marito di Beatrice, purtroppo non si vede perché ha fatto la fotografia.

Adesso, cara signora, spero di rivederLa presto perché vorrei farLe conoscere la piccola Alessia che, Le assicuro, è veramente un amore.

Un caro saluto a Lei e alla Sua famiglia e ancora grazie per il bel regalo.

Giovanna De Vita

ESERCIZIO

Chi sono queste persone?

il regalo →	il **bel** regalo
gli orecchini →	i **begli** orecchini

ESERCIZIO

Ringraziate per i seguenti regali secondo il modello.

> fiori: *Grazie per i bei fiori.*

fiori   fotografie   cartolina   stereo   accendino

pianta   orecchini   libri

scialle   disco   orologio   stilografica

E ADESSO TOCCA A VOI!

Portate in classe una fotografia della vostra famiglia, presentate le persone
ai compagni di classe e raccontate in che occasione è stata fatta la fotografia.

(23)

TEST

I. Completate il testo con le parole mancanti.

Roberto ___ _____ in Francia per _____ il suo francese.

Il _____ ____ organizzato molto bene. La mattina e il pomeriggio c' _____

le lezioni, la _____ invece gli studenti _____ liberi. Purtroppo Roberto

non ____ _____ dei francesi, ma ha fatto amicizia con tanti

ragazzi di _____ il mondo. Il fine-settimana si organizzavano delle _____.

Si _____ sempre in pullman e si _____ i paesi vicini.

Una volta Roberto ___ _____ anche a Nizza e ___ _____ il

museo di Chagall.

II. Passato prossimo o imperfetto? Completate con i verbi *sapere* e *conoscere* secondo il senso della frase.

a. Io mi sono laureato in francese. Tu non lo _____?

b. Franco _____ Anna al mare.

c. Quando sei andato a vivere a Pisa _____ già l'italiano?

d. Noi _____ che vuoi cambiare lavoro. È vero?

III. Completate con il verbo al gerundio.

a. _____ in treno si arriva più riposati.

b. Ho imparato il tedesco _____ un corso.

c. Franco si tiene in forma _____ jogging.

d. Alla spiaggia passavo il tempo _____ il sole e _____ i miei

libri preferiti.

Tavole riassuntive

In queste pagine vengono presentate le più importanti regole grammaticali presenti in questo libro di testo. I numeri fra parentesi rimandano alle lezioni in cui compaiono per la prima volta.

ALFABETO

L'alfabeto italiano ha 21 lettere:

a	[a]	g	[dʒi]	o	[o]	u	[u]
b	[bi]	h	[akka]	p	[pi]	v	[vu, vi]
c	[tʃi]	i	[i]	q	[ku]	z	[dzɛːta]
d	[di]	l	[ɛlle]	r	[ɛrre]		
e	[e]	m	[ɛmme]	s	[ɛsse]		
f	[ɛffe]	n	[ɛnne]	t	[ti]		

Le lettere j [i lungo / lunga], k [kappa], w [vu doppio / doppia], x [iks] e y [ipsilon] compaiono solo in parole straniere o in parole italiane di origine straniera.

PRONUNCIA

Lettera	Suono		Esempio
a		[a]	anno, pane
b		[b]	bene, bambino, blu
c	davanti a e / i	[tʃ]	ciao, dieci, cena
	davanti a h	[k]	chiesa, anche, chi
		[k]	casa, amico, cura
d		[d]	data, dormire
e		[e]	bevo, mese
		[ɛ]	bello, bene, ecco
f		[f]	festa, fine, freddo
g	davanti a e / i	[dʒ]	gelato, giorno
	davanti a h	[g]	spaghetti, funghi
	davanti a li	[ʎ]	moglie, aglio, gli
	davanti a n	[ŋ]	signora, gnocchi
		[g]	gatto, grazie, prego
h	non si pronuncia		hotel, ho, hai, hanno
l		[l]	latte, molto, luna

Lettera	Suono		Esempio
m	[m]		mare, molto, tempo
n	[n]		notte, niente, andare
o	[o]		sole, attore
	[ɔ]		otto, cuore, modo
p	[p]		pasta, prego, posta
qu	[kw]		quattro, questo
r	[r]		Roma, treno, amore
s		[s]	sole, casa, sì, stare
		[z]	rosa, sbaglio, sveglia
	sce / sci	[ʃ]	scena, sciare
	sche / schi	[sk]	tedesche, tedeschi
	sca / sco / scu	[sk]	scala, tedesco, scusi
t	[t]		tutto, treno, otto
u	[u]		uno, austriaco, studio
v	[v]		Venezia, uva, inverno
z	[dz]		zero, zoo,
	[ts]		zucchero, marzo

NUMERALI

Numerali cardinali

0	zero							
1	uno	11	undici					
2	due	12	dodici	20	venti	21	ventuno
3	tre	13	tredici	30	trenta	32	trentadue
4	quattro	14	quattordici	40	quaranta	43	quarantatré
5	cinque	15	quindici	50	cinquanta	54	cinquantaquattro
6	sei	16	sedici	60	sessanta	65	sessantacinque
7	sette	17	diciassette	70	settanta	76	settantasei
8	otto	18	diciotto	80	ottanta	87	ottantasette
9	nove	19	diciannove	90	novanta	98	novantotto
10	dieci			100	cento	101	centouno
						102	centodue
						108	centootto
						109	centonove

200	duecento	250	duecentocinquanta
300	trecento	380	trecentottanta
1.000	mille	1.001	milleuno / mille e uno
		1.008	milleotto
2.000	duemila	2.350	duemilatrecentocinquanta
10.000	diecimila	50.000	cinquantamila
1.000.000	un milione	2.000.000	due milioni
1.000.000.000	un miliardo	3.000.000.000	tre miliardi

Numerali ordinali

1°	primo	6°	sesto	11°	undicesimo
2°	secondo	7°	settimo	12°	dodicesimo
3°	terzo	8°	ottavo	20°	ventesimo
4°	quarto	9°	nono	100°	centesimo
5°	quinto	10°	decimo	1000°	millesimo

Numerali collettivi

15	→	quindici	→	una quindicina
30	→	trenta	→	una trentina
60	→	sessanta	→	una sessantina

12	→ dodici	una dozzina	
100	→ cento	un centinaio	(due centinaia)
1000	→ mille	un migliaio	(due migliaia)

ARTICOLO

L'articolo indeterminativo (lez. 1, 2)

maschile		**femminile**	
davanti a consonante e a vocale	**un** prosecco **un** aperitivo	davanti a consonante	**una** birra **una** spremuta
davanti a *s* + consonante e a *z*	**uno** spumante **uno** zio	davanti a vocale	**un'** aranciata

GRAMMATICA

L'articolo determinativo (lez. 1, 2)

	singolare	plurale
maschile		
davanti a consonante	**il** panino	**i** panini
	il signore	**i** signori
davanti a s + conso-nante e a z	**lo** studente	**gli** studenti
	lo zucchino	**gli** zucchini
davanti a vocale	**l'** aperitivo	**gli** aperitivi
femminile		
davanti a consonante	**la** spremuta	**le** spremute
davanti a vocale	**l'** aranciata	**le** aranciate

SOSTANTIVI

Singolare e plurale dei sostantivi (lez. 2, 3, 5, 6 , 8, 10, 12)

	singolare	plurale
maschile	il panin**o**	i panin**i**
	il signor**e**	i signor**i**
	il turist**a**	i turist**i**
femminile	la spremut**a**	le spremut**e**
	la turist**a**	le turist**e**
	la pension**e**	le pension**i**

I sostantivi in -o e in -e formano il plurale in -i.
I sostantivi maschili in -a formano il plurale in -i.
I sostantivi femminili in -a formano il plurale in -e.

Particolarità

plurale invariato	singolare	plurale
Sostantivi con l'accento sull'ultima sillaba	il caff**è**	i caff**è**
	la citt**à**	le citt**à**
Sostantivi che terminano con una consonante	il ba**r**	i ba**r**
	la col**f**	le col**f**
Forme abbreviate	il cinem**a**	i cinem**a**
	il frig**o**	i frig**o**
	la fot**o**	le fot**o**
	l' aut**o**	le aut**o**

maschile	singolare	plurale	eccezione
Parole piane:			amico amici
-co → -chi	marco	marchi	
-go → -ghi	tedesco	tedeschi	
	lago	laghi	
	albergo	alberghi	
Parole sdrucciole:			
-co → -ci	austriaco	austriaci	
-go → -gi	medico	medici	
	asparago	asparagi	dialogo dialoghi
-i- atona:	orario	orari	
-io → -i	negozio	negozi	
-i- tonica:			
-io → -ii	zio	zii	
Plurale irregolare	uomo	uomini	
	tempio	templi	

femminile	singolare	plurale
-ca → che	amica	amiche
-ga → ghe	collega	colleghe
Consonante +	arancia	arance
-cia → -ce	mancia	mance
-gia → -ge	spiaggia	spiagge
Vocale +		
-cia → -cie	camicia	camicie
-gia → -gie	valigia	valigie
o -i- tonica	farmacia	farmacie

maschile singolare	→	femminile plurale
l' uovo	→	le uova
il paio	→	le paia
il centinaio	→	le centinaia
il migliaio	→	le migliaia

AGGETTIVO

Formazione del plurale (lez. 1, 2, 5)

singolare	plurale		
Michele è italiano. Luciana è italiana.	Michele e Carlo sono italiani. Luciana e Rita sono italiane. Michele e Luciana sono italiani.	-o → -i -a → -e	
Robert è inglese. Jane è inglese.	Robert e John sono inglesi. Jane e Joan sono inglesi. Robert e Jane sono inglesi.	-e → -i	

Aggettivi invariabili (colori)

il cappotto **blu**	i cappotti **blu**
la giacca **rosa**	le giacche **rosa**
il cappotto **antracite**	i cappotti **antracite**
la gonna **grigio scuro**	le gonne **grigio scuro**

Comparativo (lez. 5, 11, 12, 15)

▷ *più (meno) + aggettivo*

Non c'è una taglia **più piccola**?

▷ *più (meno) + aggettivo + di + sostantivo (pronome)*

Il ragazzo è **più dinamico della ragazza**.
La ragazza è **più brava di lui**.
Giorgio è **meno bravo di Maria**.

▷ *aggettivo + come (quanto) + sostantivo (pronome)*

Non sono **brava come lui**.
Giorgio è **alto quanto suo fratello**.

▷ secondo termine di paragone introdotto da «*che*»

Si occupavano più di me **che** dei loro figli.

È più facile capire **che** parlare.

Comparativo irregolare

buono	→	migliore	
cattivo	→	peggiore	
alto	→	superiore	(anche: più alto)
basso	→	inferiore	(anche: più basso)
grande	→	maggiore	(anche: più grande)
piccolo	→	inferiore	(anche: più piccolo)

Il superlativo (lez. 3, 6, 9, 12)

Superlativo assoluto
(con «molto» oppure «-issimo»)

La camera è **molto** tranquilla.
La camera è tranquill**issima**.

Particolarità: buono   →   ottimo
            cattivo   →   pessimo

Superlativo relativo

Si forma in due modi:

▷   articolo determinativo + sostantivo + più (meno) + aggettivo
▷   articolo determinativo + più (meno) + aggettivo + sostantivo

Abbiamo visto **le città più importanti** della Sicilia.
Abbiamo visto **le più importanti città** della Sicilia.

Questo (lez. 1–5)

quest**o** pullover	quest**i** pullover
quest**'**uomo	quest**i** uomini
quest**a** ragazza	quest**e** ragazze
quest**'**aranciata	quest**e** aranciate

Questo indica una persona o una cosa vicina a chi parla.

Al singolare si apostrofa davanti a vocale.

«Quello» (lez. 5) e «bello» (lez. 15)

il			i	
quel	pullover		**quei**	pullover
un **bel**			dei **bei**	
lo			gli	
quello	scialle		**quegli**	scialli
un **bello**			dei **begli**	
l'			gli	
quell'	impermeabile		**quegli**	impermeabili
un **bell'**			dei **begli**	
la			le	
quella	giacca		**quelle**	giacche
una **bella**			delle **belle**	
l'			le	
quell'	isola		**quelle**	isole
una **bell'**			delle **belle**	

quello indica una persona o una cosa lontana da chi parla e da chi ascolta.

Quello e *bello* davanti a un sostativo prendono la desinenza analoga all'articolo determinativo.

Aggettivi possessivi (lez. 8, 9)

(io)	il **mio**			i **miei**		
(tu)	il **tuo**			i **tuoi**		
(lui / lei)	il **suo**	amico		i **suoi**	amici	
(Lei)	il **Suo**	libro		i **Suoi**	libri	
(noi)	il **nostro**	bambino		i **nostri**	bambini	
(voi)	il **vostro**			i **vostri**		
(loro)	il **loro**			i **loro**		

(io)	la **mia**			le **mie**		
(tu)	la **tua**			le **tue**		
(lui / lei)	la **sua**	amica		le **sue**	amiche	
(Lei)	la **Sua**	macchina		le **Sue**	macchine	
(noi)	la **nostra**	bambina		le **nostre**	bambine	
(voi)	la **vostra**			le **vostre**		
(loro)	la **loro**			le **loro**		

L'articolo si omette davanti ai nomi indicanti parentela.
Il possessivo *loro* è però sempre preceduto dall'articolo.

mio padre
sua sorella   ma: **la loro sorella**
                                          il loro fratello

AVVERBIO

Formazione dell'avverbio (lez. 2, 3, 4, 5)

aggettivo:	aggettivo	avverbio
in -o	gratuito →	gratuit**amente**
in -e	veloce →	veloce**mente**
in -le / -re	normal*e* →	normal**mente**
	regolar*e* →	regolar**mente**

Forme particolari: buono → **bene**; cattivo → **male**

Sono variabili se usati come aggettivi e invariabili come avverbi:

certo   È una cosa certa.   /   Ma certo!
chiaro   Un colore chiaro.   /   Ha parlato chiaro.

molto   Qui ci sono molti musei.   Questa giacca è molto bella.
                                           Roma mi piace molto.
                                           Vado molto spesso al cinema.

Gradi dell'avverbio

	comparativo	superlativo
comodamente	più comodamente	comodissimamente
tardi	più tardi	tardissimo
presto	più presto	prestissimo
bene	meglio	benissimo
male	peggio	malissimo
molto	più / di più	moltissimo
poco	meno / di meno	pochissimo

IL VERBO

«Avere» e «essere»

	avere	**essere**
io	ho	sono
tu	hai	sei
lui	ha	è
lei	ha	è
Lei	ha	è
noi	abbiamo	siamo
voi	avete	siete
loro	hanno	sono

I pronomi soggetto *io / tu / lui* etc. possono essere omessi. Si usano solo se si vuole mettere particolarmente in rilievo il soggetto. I pronomi personali di cortesia sono *Lei* (+ la terza persona del verbo) se ci si riferisce ad una persona e *voi* (+ la seconda persona plurale del verbo) o *Loro* (+ la terza persona plurale del verbo) se ci si riferisce a più persone.

Presente dei verbi regolari (lez. 1, 2)

Live

	-ARE	**-ERE**	**-IRE**	
	abitare	**prendere**	**sentire**	**preferire**
io	abit**o**	prend**o**	sent**o**	prefer**isco**
tu	abit**i**	prend**i**	sent**i**	prefer**isci**
lui				
lei	abit**a**	prend**e**	sent**e**	prefer**isce**
Lei				
noi	abit**iamo**	prend**iamo**	sent**iamo**	prefer**iamo**
voi	abit**ate**	prend**ete**	sent**ite**	prefer**ite**
loro	abit**ano**	prend**ono**	sent**ono**	prefer**iscono**

stess 1st syllabe

Verbi in -care e -gare:

cercare: cerco, cer**chi**, cerca, cer**chi**amo, cercate, cercano.
pagare: pago, pa**ghi**, paga, pa**ghi**amo, pagate, pagano.

Presente dei verbi irregolari

andare	vado	vai	va	andiamo	andate	vanno
dare	do	dai	dà	diamo	date	danno
dire	dico	dici	dice	diciamo	dite	dicono
dovere	devo	devi	deve	dobbiamo	dovete	devono
fare	faccio	fai	fa	facciamo	fate	fanno
porre	pongo	poni	pone	poniamo	ponete	pongono
potere	posso	puoi	può	possiamo	potete	possono
ridurre	riduco	riduci	riduce	riduciamo	riducete	riducono
rimanere	rimango	rimani	rimane	rimaniamo	rimanete	rimangono
salire	salgo	sali	sale	saliamo	salite	salgono
sapere	so	sai	sa	sappiamo	sapete	sanno
scegliere	scelgo	scegli	sceglie	scegliamo	scegliete	scelgono
stare	sto	stai	sta	stiamo	state	stanno
spegnere	spengo	spegni	spegne	spegniamo	spegnete	spengono
tenere	tengo	tieni	tiene	teniamo	tenete	tengono
uscire	esco	esci	esce	usciamo	uscite	escono
venire	vengo	vieni	viene	veniamo	venite	vengono
volere	voglio	vuoi	vuole	vogliamo	volete	vogliono

come *porre*: proporre, comporre, disporre   come *tenere*: contenere

come *ridurre*: tradurre, condurre   come *uscire*: riuscire

Passato prossimo (lez. 6, 11)

Coniugazione con *avere*

io	ho	
		parl**ato**
tu	hai	
		av**uto**
lei		
lui	ha	sent**ito**
Lei		
		visto
noi	abbiamo	
		fatto
voi	avete	
		preso
loro	hanno	

Coniugazione con *essere*

io	sono	
		andat**o**
tu	sei	
		andat**a**
Lei	è	
lui		andat**o**
	è	
lei		andat**a**
noi	siamo	
		andat**i**
voi	siete	
		andat**e**
loro	sono	

Verbi irregolari al participio passato

accendere	→	**acceso**	offrire	→	**offerto**
aggiungere	→	**aggiunto**	perdere	→	**perso** (anche **perduto**)
assumere	→	**assunto**	porgere	→	**porto**
aprire	→	**aperto**	prendere	→	**preso**
chiedere	→	**chiesto**	promettere	→	**promesso**
chiudere	→	**chiuso**	porre	→	**posto**
comporre	→	**composto**	rendere	→	**reso**
concedere	→	**concesso**	ridere	→	**riso**
condurre	→	**condotto**	rimanere	→	**rimasto**
correggere	→	**corretto**	risolvere	→	**risolto**
correre	→	**corso**	rispondere	→	**risposto**
decidere	→	**deciso**	rivolgere	→	**rivolto**
diffondere	→	**diffuso**	rompere	→	**rotto**
dire	→	**detto**	scendere	→	**sceso**
discutere	→	**discusso**	scegliere	→	**scelto**
disporre	→	**disposto**	scuotere	→	**scosso**
dividere	→	**diviso**	scrivere	→	**scritto**
esprimere	→	**espresso**	soffrire	→	**sofferto**
essere	→	**stato**	spegnere	→	**spento**
fare	→	**fatto**	svolgere	→	**svolto**
invadere	→	**invaso**	vedere	→	**visto** (anche **veduto**)
leggere	→	**letto**	venire	→	**venuto**
mettere	→	**messo**	vincere	→	**vinto**
occorrere	→	**occorso**			

come *chiedere:* richiedere
come *condurre:* ridurre, tradurre
come *correre:* trascorrere
come *dire:* disdire
come *dividere:* condividere
come *mettere:* permettere, promettere, smettere

come *porre:* comporre, disporre, proporre
come *prendere:* comprendere
come *scrivere:* iscrivere, trascrivere
come *uscire:* riuscire
come *vedere:* prevedere, provvedere, rivedere
come *venire:* avvenire

Passato prossimo dei verbi modali

Maria non **ha voluto** più *studiare*.   (*studiare:* passato prossimo con *avere*)
Maria non **è potuta** *partire*.   (*partire:* passato prossimo con *essere*)
Maria non *si* **è potuta** *laureare*.   (*laurearsi:* passato prossimo con *essere*)

Imperfetto (lez. 15)

Verbi regolari

andare	anda-	-**vo**
prendere	prende-	-**vi**
partire	parti-	-**va**
capire	capi-	-**vamo**
		-**vate**
		-**vano**

Verbi irregolari

bere	beve-	-**vo**
fare	face-	-**vi**
dire	dice-	-**va**
tradurre	traduce-	-**vamo**
		-**vate**
		-**vano**

essere: ero, eri, era, eravamo, eravate, erano.

Verbi riflessivi (lez. 8, 11)

	Presente	**Passato prossimo**	
(io)	mi riposo	mi sono	
(tu)	ti riposi	ti sei	riposat**o** / riposat**a**
(lui) (lei) (Lei)	si riposa	si è	
(noi)	ci riposiamo	ci siamo	
(voi)	vi riposate	vi siete	riposat**i** / riposat**e**
(loro)	si riposano	si sono	

217

Condizionale presente (lez. 12)

Verbi regolari

aspettare	aspetter	**-ei**
giocare	giocher	**-esti**
mangiare	manger	**-ebbe**
leggere	legger	**-emmo**
dormire	dormir	**-este**
finire	finir	**-ebbero**

Essere

sarei
saresti
sarebbe
saremmo
sareste
sarebbero

Verbi che perdono la -e- della desinenza

avere	→	**avrei**	sapere	→	**saprei**		
dovere	→	**dovrei**	vedere	→	**vedrei**	andare → **andrei**	
potere	→	**potrei**	vivere	→	**vivrei**		

Verbi che raddoppiano la -r-

rimanere	→	**rimarrei**	tenere	→	**terrei**
venire	→	**verrei**	volere	→	**vorrei**

Imperativo (lez. 13, 14)

INFINITO	Tu	Lei	Voi

Verbi regolari

INFINITO	Tu	Lei	Voi
scusare	Scusa!	Scusi!	Scusate!
prendere	Prendi!	Prenda!	Prendete!
sentire	Senti!	Senta!	Sentite!
pulire	Pulisci!	Pulisca!	Pulite!
iscriversi	Iscriviti!	Si iscriva!	Iscrivetevi!

INFINITO	Tu	Lei	Voi

Verbi irregolari

andare	Va' / vai!	Vada!	Andate!
avere	Abbi!	Abbia!	Abbiate!
dare	Da' / dai!	Dia!	Date!
dire	Di'!	Dica!	Dite!
essere	Sii!	Sia!	Siate!
fare	Fa' / fai!	Faccia!	Fate!
stare	Sta' / stai!	Stia!	State!
tenere	Tieni!	Tenga!	Tenete!
venire	Vieni!	Venga!	Venite!

Imperativo negativo alla seconda persona singolare

usare	Non usare il forno!	Non usarlo!	Non lo usare!

preoccuparsi Non preoccuparti, Marco!
Non ti preoccupare, Marco!

Gerundio (lez. 8, 11, 15)

riparare	→	ripar**ando**	bere	→	bev**endo**
leggere	→	legg**endo**	dire	→	dic**endo**
sentire	→	sent**endo**	fare	→	fac**endo**
pulire	→	pul**endo**			

Forma perifrastica (azione progressiva e duratura)

Marco sta telefonando. (telefona in questo momento)

Il gerundio in proposizioni secondarie

causale   Essendo di Aosta, parlo perfettamente il francese.

temporale   Ringraziando, Vi saluto cordialmente.

modale   Ci presentavamo parlando con uno spiccato accento piemontese.

Verbi impersonali (lez. 2, 5, 7, 10)

▷ **bisogna**

Bisogna cambiare a Bologna.

▷ **volerci**

Ci vuole un sacco di tempo.
Ci vogliono 12 ore.

▷ **bastare**

Per avere informazioni sul traffico basta accendere la radio.
Bastano pochi secondi per pagare il pedaggio con la Viacard.

▷ Verbi usati generalmente alla terza persona singolare o plurale:

piacere, **sembrare**, **occorrere**, **servire**.

PRONOMI

Pronomi personali

Soggetto	Oggetto diretto		Oggetto indiretto	
	atoni	*tonici*	*atoni*	*tonici*
io	mi	me	mi	a me
tu	ti	te	ti	a te
lui	lo	lui	gli	a lui
lei	la	lei	le	a lei
Lei	La	Lei	Le	a Lei
noi	ci	noi	ci	a noi
voi	vi	voi	vi	a voi
loro	li / le	... loro	gli / ... loro	a loro

Il pronome oggetto «ne» (lez. 9)

Hai degli amici in Italia?   Sì, **ne** ho due.
                              Sì, **ne** ho molti.

Accordo del participio passato con i pronomi diretti (lez. 10)

Hai portato il vino?   Sì, **l'**ho portat**o**.
Hai portato la chitarra?   Sì, **l'**ho portat**a**.
Hai portato i dischi?   Sì, **li** ho portat**i**.
Hai portato le carte?   Sì, **le** ho portat**e**.

Quante bottiglie hai portato?   **Ne** ho portat**e** dieci.
    Ne ho portat**a** solo una.

«Ci» in unione con i pronomi diretti e con «avere» (lez. 10)

Hai il vino rosso?   Sì, **ce l'**ho.   Hai i dischi?   No, non **ce li** ho.
Hai la chitarra?   No, non **ce l'**ho.   Hai le carte?   Sì, **ce le** ho.

I pronomi relativi «che» e «cui» (lez. 12)

▷ *Che* è soggetto o oggetto diretto:
   È un lavoro **che** mi piace.
                 che svolgo volentieri.

▷ *Cui* è preceduto da una prepozione:
   È un lavoro **di cui** sono stanco.
                 da cui dipendo.
                 per cui ho dovuto studiare.
                 a cui dedico molto tempo.

La costruzione impersonale con «si» (lez. 5, 7, 15)

▷ **Verbi senza oggetto diretto**   → *si* + terza persona singolare:

Con la Viacard si fa più in fretta.

▷ **Verbi con oggetto diretto**   → *si* + terza persona singolare o plurale:

Si può cambiare il pullover?

Si possono accorciare i pantaloni?

▷ **con *essere*** → *si* + terza persona singolare di *essere* + aggettivo/sostantivo plurale:

Il pomeriggio si era liberi.

Quando si è studenti, si vive con pochi soldi.

PREPOSIZIONI

+	il	l'	lo	la	i	gli	le
a	al	all'	allo	alla	ai	agli	alle
di	del	dell'	dello	della	dei	degli	delle
da	dal	dall'	dallo	dalla	dai	dagli	dalle
in	nel	nell'	nello	nella	nei	negli	nelle
su	sul	sull'	sullo	sulla	sui	sugli	sulle

*La preposizione **a***

▷ **Stato in luogo o moto a luogo**

Sono	a	Roma.
		casa.
		scuola.
		teatro.
Vado	al	bar.
Vengo	alla	spiaggia.
	all'	estero

▷ **Tempo**

a mezzogiorno   a Capodanno
alle cinque   a presto!

▷ **Modo**

andare a piedi   tagliare a fette
spaghetti alla bolognese   fatto a mano

▷ **Con altre preposizioni**

accanto all'edicola   davanti alla banca
di fronte al bar   fino al semaforo

▷ Con alcuni verbi

cominciare a studiare   riuscire a arrivare
andare a mangiare   pensare a

*La preposizione **in***

▷ Stato in luogo o moto a luogo

Sono Vado	in	Italia. un bar. montagna. via Dante. fabbrica. Toscana.
	nel	Veneto.
	nelle	Marche.
	negli	Stati Uniti.

▷ Modo

prendere un caffè in piedi
andare in macchina

▷ Tempo

in estate
in dicembre

*La preposizione **da***

▷ Stato in luogo o moto a luogo (persone)

Vado	da	Guido. te.
Sono	dal	medico.
	dai	miei genitori.

▷ **Moto da luogo**

Il treno da Milano.
Torno dall'ufficio.
Da chi l'hai saputo?
Una telefonata dalla camera.

▷ **Davanti a un verbo**

Cosa avete da mangiare?
C'è da camminare molto?

▷ **In correlazione con la preposizione «a»**

Dal 3 al 5 marzo
Dalle 8.00 alle 9.00
A pochi chilometri da Pisa.

▷ **Tempo**

Abito a Firenze da sei anni.
Cerco una colf da marzo.

▷ **Fine**

la vasca da bagno
il bicchiere da vino
la macchina da scrivere

▷ **Prezzo**

un francobollo da 600 lire
un biglietto da 100.000 lire

*La preposizione **di***

▷ **Provenienza**

Di dove sei?
Sono di Firenze.

▷ **Tempo**

di mattina / di sera
di giorno / di notte

▷ **Materia, contenuto**

un pullover di lana
una bottiglia di birra
un bicchiere di vino

▷ **Quantità**

ho 10 minuti di tempo
un chilo di arance
un po' di zucchero
un litro di latte

▷ **Partitivo**

In frigorifero c'è della birra.

▷ **Specificazione**

gli orari dei negozi
le chiavi della tua casa

▷ **Con alcuni verbi**

Ho voglia di bere qualcosa.
smettere di fumare

▷ **Argomento**

corso di francese
libro di storia

▷ **Dopo un comparativo o un superlativo relativo**

Mario è più alto di Carlo.
Ero la più piccola dei nipoti.

La preposizione **con**

▷ **Compagnia e unione**

Sono qui con Paolo.
Una coca cola con ghiaccio.

▷ **Mezzo**

partire con il treno
pagare con la carta di credito

▷ **Qualità**

le scarpe con il tacco alto
una piazza con due fontane

Le preposizioni **fra** e **tra**

▷ **Relazione**

C'è differenza fra i prezzi
al banco e al tavolo.

▷ **Tempo**

Fra un'ora arrivo.
Fra le sette e mezza e le otto.

La preposizione **su**

▷ **Stato di luogo**

La camera dà sul cortile.
Sulla destra vede il museo.
Sul tavolo ci sono delle lettere.

▷ **Moto a luogo**

salire sull'Etna

Glossario delle lezioni

Lo spazio a destra è riservato alla traduzione nella lingua madre. Le parole in grassetto appartengono al vocabolario del Livello soglia. L'asterisco indica che il verbo ha una forma irregolare al presente o al passato prossimo.

I verbi che si coniugano come finire (finisco) sono indicati (-isc). Il punto sotto le parole indica dove cade l'accento.

LEZIONE 1

①

ciao _____

come stai? _____

a una **festa** _____

a _____

la **festa** _____

presenta (**presentare**) _____

il questionario _____

segnate con una crocetta _____

l'informazione _(f.)_ _____

esatto _____

(il) **tedesco** _____

(l') **austriaco** _____

(lo) **svizzero** _____

è di … _____

essere _____

di _____

l'architetto _(m. + f.)_ _____

la fotografa _____

l'avvocato _(m. + f.)_ _____

beve un vino rosso _____

bere _____

un _____

il **vino** rosso _____

il **vino** bianco _____

il Prosecco _____

②

il dialogo _____

bene _____

grazie _____

e _____

tu _____

bene anch'io _____

anche _____

io _____

confidenziale _____

formale _____

buongiorno, signor Bianchi! _____

buongiorno! _____

il **signore** _____

come sta? _____

bene, grazie. E Lei? _____

Lei _____

abbastanza _____

buonasera, signora De Cesari! _____

buonasera _____

la **signora** _____

non c'è male _____

③

l'esercizio _____

il _____

incontrare _____

la _____

che cosa dice? _____

che cosa? _____

dire* _____

formate altre coppie _____

fate i dialoghi _____

④

posso presentarti …? _____

la mia amica _____

l'**amica** _____

l'**amico** _____

mio, mia _____

questo è … _____

la **situazione** _____

posso presentarLe … _____

piacere! _____

molto lieto _____

molto _____

lieto _____

⑤

completate con _____

dottor … _____

dottoressa … _____

⑥

e adesso tocca a voi! _____

227

GLOSSARIO

(7)

senta, scusi … _____

sentire _____

scusare _____

non ho capito bene _____

capire (-isc) _____

il Suo nome _____

il **nome** _____

come si chiama? _____

chiamarsi _____

mi chiamo … _____

come, scusi? _____

il **cognome** _____

(8)

ripetete il dialogo _____

ripetere _____

con i seguenti nomi _____

con _____

seguente _____

(9)

Lei _____

di dove? _____

dov'è? _____

in Baviera _____

vicino a Monaco _____

vicino a _____

(l') inglese _____

(10)

intervistate le seguenti persone _____

secondo il modello _____

le _____

(l') **italiano** _____

(il) francese _____

(lo) spagnolo _____

(lo) svedese _____

(l') americano _____

(il) portoghese _____

(il) greco _____

(il) turco _____

(12)

ma _____

parlare _____

benissimo _____

complimenti! _____

perché _____

il **marito** _____

per questo _____

qui _____

in vacanza _____

la **vacanza** _____

no _____

magari! _____

per lavoro _____

per _____

il **lavoro** _____

che lavoro fa? _____

che _____

fare * _____

l'insegnante *(m. + f.)* _____

l'**impiegato**, -a _____

la casalinga _____

(13)

sostituite _____

sostituire (-isc) _____

la **professione** _____

l'ingegnere *(m. + f.)* _____

il **commesso** _____

il medico _____

la segretaria _____

l'**operaio**, -a _____

il farmacista _____

(14)

noi siamo amici di Luciana _____

noi _____

di _____

possiamo darci del tu _____

potere * _____

darsi del tu _____

no? _____

sì _____

volentieri _____

(16)

scusa _____

come ti chiami? _____

abitare _____

a Firenze _____

a _____

da sei anni _____

da _____

l'**anno** _____

cosa?	_____	caro	_____
lavorare	_____	cosa fai di bello?	_____
la libreria	_____	in questo momento	_____
il numero	_____	il momento	_____
		ho un piccolo	
⑰		problema	_____
i	_____	avere *	_____
il dato	_____	piccolo	_____
la banca	_____	il problema	_____
la profumeria	_____	da ottobre	_____
il bar	_____	cercare	_____
l'hotel	_____	la ragazza alla pari	_____
		il bambino	_____
⑱		conoscere	_____
Senti, vuoi bere	_____	la ragazza	_____
qualcosa?	_____	serio	_____
volere *	_____	simpatico	_____
bere *	_____	che	_____
qualcosa	_____	venire *	_____
preferire (-isc)	_____	vivere	_____
ecco qui	_____	per un anno	_____
ecco	_____	scrivimi	_____
alla salute!	_____	presto	_____
l'aperitivo	_____	forse	_____
lo spumante	_____	ho trovato	_____
la birra	_____	trovare	_____
l'aranciata	_____	per te	_____
		ha 20 anni	_____
⑲		avere ... anni	_____
la grappa	_____	la filosofia	_____
il cognac	_____	conoscere	_____
l'amaro	_____	un po'	_____
attenzione!	_____	responsabile	_____
non si dice	_____	il suo indirizzo	_____
la bevanda	_____	l'indirizzo	_____
alcolico	_____	a presto!	_____
		chi?	_____
⑳		in quale città?	_____
rispondete alle seguenti	_____	quale	_____
domande	_____	la città	_____
rispondere	_____	quanti anni ha?	_____
la domanda	_____	quanto	_____
		la lingua	_____
㉑			
studiare	_____	㉔	
		il test	_____
㉒		completate	_____
la lettura	_____	con le parole mancanti	_____
scrivere	_____		
la cartolina	_____		
cara Anna	_____		

GLOSSARIO

il **servizio** _____

il banco _____

il **tavolo** _____

il **caffè espresso** _____

il **the (tè)** _____

freddo _____

il **cappuccino** _____

il **latte** _____

la cioccolata _____

la **tazza** _____

la camomilla _____

il vermouth (vermut) _____

il vino DOC _____

il vin santo _____

la sangria _____

la caraffa _____

la coppa _____

alla spina _____

medio _____

grande _____

la bibita _____

in genere _____

in lattina _____

la spuma _____

il tropical _____

il succo di frutta _____

la spremuta _____

il pompelmo _____

l'arancia _____

il limone _____

lo sciroppo _____

la **bottiglia** _____

il **panino** _____

il toast _____

l'hot dog _____

la pasta _____

①

bello _____

la **giornata** _____

dopo _____

la **passeggiata** _____

per il centro _____

il **centro** _____

vedere _____

l'affermazione _____

prendere _____

mangiare _____

il tramezzino _____

il sandwich _____

pagare _____

la **lira** _____

caro _____

economico _____

②

stanco _____

andiamo in quel bar? _____

andare * _____

buona idea! _____

l'**idea** _____

e poi _____

ho sete _____

la **sete** _____

veramente _____

ci sediamo dentro? _____

sedersi _____

dentro _____

o _____

fuori _____

beh, ma fuori, no? _____

così _____

dai! _____

③

essere * _____

avere * _____

la **fame** _____

④

all'**ombra** _____

il **sole** _____

fare caldo _____

il **caffè** _____

fare freddo _____

il self-service _____

⑤

mi dica! _____

io vorrei _____

in bottiglia o alla spina? _____

mah ... _____

benissimo _____

⑥

il cornetto _____

la crema _____

la marmellata _____

il whisky _____

liscio _____

il ghiaccio _____

il **prosciutto** _____

il **salame** _____

il **bicchiere** _____

caldo _____

dolce _____

amaro _____

il **gelato** _____

senza _____

la panna _____

⑦

che cosa avete _____
da mangiare?

il medaglione _____

la pizzetta _____

l'**uovo** (*pl.* le uova) _____

il **pomodoro** _____

oppure _____

cotto _____

la fontina _____

la mozzarella _____

il carciofino _____

il tonno _____

l'alice *(f.)* _____

il fungo _____

Ah, ecco! _____

allora _____

per favore _____

⑧

il listino _____

qui sotto _____

lo spuntino _____

crudo _____

il **formaggio** _____

lo speck _____

il cetriolino _____

la zucchina _____

la melanzana _____

il salmone _____

il radicchio _____

il **burro** _____

il gamberetto _____

l'insalata russa _____

l'asparago _____

⑨

vediamo un po'

perché? _____

non ti piace la birra? _____

piacere _____

adesso _____

non mi va _____

⑩

il caffellatte (*anche*: caffelatte) _____

il Fernet _____

⑪

lo **zucchero** _____

mi raccomando _____

va bene _____

d'accordo _____

per cortesia _____

potrebbe ...? _____

portare _____

il portacenere _____

certo _____

subito _____

⑫

continuare _____

la schiuma _____

il caffè ristretto _____

⑬

l'ordinazione _____

⑭

il tovagliolo _____

il cucchiaino _____

⑮

come va? _____

anche se _____

ci sono molti turisti _____

esserci _____

il turista (*auch*: la) _____

la pensione _____

tutto il giorno _____

tutto _____

il **giorno** _____

andare in giro _____

fare fotografie _____

la **fotografia** _____

molto _____

GLOSSARIO

domani _____

andare * _____

frequentare _____

il corso di restauro _____

il restauro _____

invece _____

restare _____

lunedì _____

lunedì c'è il Palio _____

poi _____

tornare _____

la Svizzera _____

voi cosa fate? _____

quando _____

partire _____

l'abbraccio _____

gli _____

(16)

martedì _____

mercoledì _____

giovedì _____

venerdì _____

sabato _____

domenica _____

il concerto _____

la piazza _____

l'esame (m.) _____

la maratona _____

la processione _____

il mercato _____

il fuoco d'artificio _____

le elezioni (pl.) _____

(17)

immaginare _____

(18)

ancora _____

offrire _____

quant'è? _____

quanto? _____

esattamente _____

ecco a Lei! _____

ecco _____

ha le 250 spicciole? _____

gli spiccioli (pl.) _____

tenga pure il resto! _____

il resto _____

grazie _____

prego _____

però _____

in fondo _____

sai _____

comunque _____

buon appetito _____

altrettanto _____

(19)

guardare _____

la lista _____

fate le domande _____

(24)

spesso _____

avere voglia _____

la voglia _____

vogliono _____

stare _____

di solito _____

fare colazione _____

la colazione _____

a casa _____

la casa _____

solo _____

avere tempo _____

il tempo _____

pranzare _____

la tavola calda _____

la paninoteca _____

il pranzo _____

l'espresso _____

naturalmente _____

quasi _____

quasi sempre _____

in piedi _____

c'è una differenza fra ... _____

la differenza _____

fra _____

costa di più _____

costare _____

di più _____

prima di consumare
qualcosa _____

prima di _____

consumare _____

bisogna _____

fare lo scontrino alla cassa _____

lo scontrino _____

la cassa _____

la frase _____

il testo _____

corrispondere _____

il disegno _____

㉕

oggi _____

il contrario _____

la portineria _____

il televisore a colori _____

la **doccia** _____

il **bagno** _____

il **telefono** _____

la sveglia _____

l'aria condizionata _____

la forma di pagamento _____

①

la **camera** _____

prenotare _____

l'**albergo** _____

la receptionist _____

la **camera singola** _____

la camera matrimoniale _____

la **camera doppia** _____

lui _____

desiderare _____

silenzioso _____

luminoso _____

la **stanza** _____

il **documento** _____

il **passaporto** _____

la carta d'identità _____

la **patente** _____

la **valigia** _____

il bagaglio _____

②

attenda un momento _____

attendere _____

esattamente _____

Le do la chiave _____

dare * _____

la **chiave** _____

su _____

dà sul cortile interno _____

il cortile _____

interno _____

③

il parco _____

il **giardino** _____

tranquillo _____

rumoroso _____

la **strada** _____

il **piano** _____

al primo piano _____

all'ultimo piano _____

④

il periodo _____

la **settimana** _____

il retro _____

la pineta _____

⑤

fare in tempo _____

adesso _____

⑥

che ore sono? _____

l'**ora** _____

quindi _____

non c'è problema _____

da mezzogiorno alle due _____

mezzogiorno _____

va bene _____

non devo prenotare _____

assolutamente _____

le quattro e un quarto _____

il **quarto** _____

le cinque e mezza _____

mezzo _____

le sette meno venti _____

la **mezzanotte** _____

⑦

la **cena** _____

a che ora? _____

dunque _____

la **mattina** _____

di mattina _____

ovviamente _____

eventualmente _____

è possibile? _____

possibile _____

GLOSSARIO

certo _____

telefonare _____

mandare su _____

(8)

il cliente _____

mi dispiace _____

(9)

a piacere _____

avere la sveglia _____

la **mezza pensione** _____

l'interurbana _____

la **pensione completa** _____

il **gatto** _____

l'asciugamano _____

l'assegno _____

il **marco** _____

(10)

la **macchina** _____

parcheggiare _____

qui davanti _____

non so se dà fastidio _____

dare fastidio _____

il **garage** _____

lì _____

disturbare _____

non si preoccupi! _____

preoccuparsi _____

l'**ascensore** _____

guardi! _____

guardare _____

a più tardi! _____

tardi _____

(11)

la **sala da pranzo** _____

là _____

in fondo _____

là in fondo _____

a destra _____

la scala _____

a sinistra _____

là dietro _____

dietro _____

(13)

l'espressione _____

(14)

la **pensione** _____

il motel _____

l'ostello della gioventù _____

l'azienda agrituristica _____

la locanda _____

(15)

chiuso _____

il **mese** _____

il **maggio** _____

il **novembre** _____

la **piscina** _____

la piscina al coperto _____

il **tennis** _____

il **ristorante** _____

la **televisione** _____

la suite _____

il **prezzo** _____

intorno a _____

l'alta stagione _____

la vasca _____

la vasca con idromassaggio _____

la sauna _____

il frigobar _____

la **spiaggia** _____

privato _____

aperto _____

il solarium _____

la piscina riscaldata _____

la vista _____

la vista panoramica _____

ammesso _____

l'**animale** _(m.)_ _____

il **parcheggio** _____

il ristorante interno _____

custodito _____

il **dicembre** _____

l'**aprile** _(m.)_ _____

la **fine** _____

il **settembre** _____

vero _____

falso _____

(17)

quanto viene? _____

compreso _____

l'alfabeto _____

la lettera _____

fare parte _____

(18)

cambiare _____

il tipo di camera _____

(19)

la coppia _____

la **prenotazione** _____

(20)

il **gennaio** _____

confermare _____

con la presente _____

il **febbraio** _____

il **marzo** _____

unire (-isc) _____

corrispondente _____

la **notte** _____

distinti saluti _____

il **luglio** _____

inviare _____

il **giugno** _____

la **telefonata** _____

da solo _____

soltanto _____

LEZIONE 4

chiedere informazioni _____

chiedere _____

arrivare _____

(1)

dovere * _____

l'**autobus** (m.) _____

il tram _____

la **metropolitana** _____

scendere _____

la **fermata** _____

normalmente _____

il **museo** _____

fino a … _____

non può _____

visitare _____

(2)

permettere _____

mi può dire …? _____

potere * _____

non lo so _____

sapere * _____

non sono di qui _____

il **vigile** _____

senz'altro _____

La ringrazio _____

ringraziare _____

non c'è di che _____

(3)

il **posto** _____

il Palazzo delle Esposizioni _____

il **palazzo** _____

l'esposizione (f.) _____

il Colosseo _____

lo zoo _____

la via _____

le terme di Caracalla _____

gli studi di Canale 5 _____

l'opera _____

la Piazza di Spagna _____

la galleria _____

i Musei Vaticani _____

(4)

a **piedi** _____

beh _____

lontano _____

passare _____

qui vicino _____

vicino _____

accanto a _____

l'edicola _____

davanti a _____

di fronte a _____

(5)

i giardini pubblici _____

il **ponte** _____

la trattoria _____

(6)

con i seguenti dati _____

la **scuola** _____

il **teatro** _____

l'ufficio postale _____

il **distributore** _____

la **cabina telefonica** _____

la **polizia** _____

la **stazione** _____

la **farmacia** _____

GLOSSARIO

⑦

completate con il loca-
tivo "c" _____

⑧

un pochino avanti _____
seguire _____
riconoscere _____
attraversare _____
la **fontana** _____

⑨

le Catacombe _____

⑩

andare dritto (diritto) _____
dritto (diritto) _____
girare _____
l'incrocio _____
la traversa _____
l'angolo _____
il semaforo _____
lasciare un messaggio _____
il messaggio _____
la segreteria telefonica _____
ascoltare _____
più volte _____
il **quartiere** _____
segnare _____
accompagnare _____

⑪

mettere in ordine _____
la **parte** _____
uscire * _____
l'**ufficio** _____
venire * _____
aprire _____
il **frigorifero** _____
la **cucina** _____
il **pane** _____
altrimenti _____
la **pizza** _____
va bene? _____

⑬

spiegare _____
il mezzo pubblico _____
passare _____
consigliare _____

⑭

il **paese** _____
l'**orario** _____
paese che vai, orari che
trovi _____
il giorno feriale _____
il **negozio** _____
generalmente _____
di pomeriggio _____
il **pomeriggio** _____
cambiare _____
il **grande magazzino** _____
alcuni _____
per esempio _____
l'orario continuato _____
avere l'orario continuato _____
cioè _____
durante _____
per mezza giornata _____
in genere _____
mentre _____
gli alimentari _____
la giornata di chiusura _____
variare _____
l'orario di apertura _____
la farmacia di turno _____
il giorno festivo _____
il quotidiano _____
ogni giorno _____
ogni _____
a turno _____
chiudere _____
riaprire _____
l'**autostrada** _____
tranne _____
la **stazione di servizio** _____

⑮

la **chiesa** _____
la **sera** _____
l'**estate** _(f.)_ _____
il **mare** _____

LEZIONE 5

il **colore** _____
il negozio di abbigliamento _____
cambiare _____

1

la **giacca** _____

il **pullover** _____

il cappotto _____

l'**impermeabile** *(m.)* _____

i **pantaloni** _____

scegliere * _____

il cotone _____

la **lana** _____

il velluto _____

verde _____

chiaro _____

scuro _____

marrone _____

grigio _____

nero _____

blu _____

beige _____

bianco _____

azzurro _____

celeste _____

comprare _____

la **camicia** _____

la cravatta _____

le calze _____

la cintura _____

la sciarpa _____

2

ieri _____

mia moglie mi ha comprato _____

la **moglie** _____

un po' _____

detto tra noi _____

per niente _____

si può cambiare? _____

sì _____

come no! _____

eccolo qua _____

3

il **fratello** _____

la **sorella** _____

la **camicetta** _____

il guanto _____

la **gonna** _____

stretto _____

lungo _____

largo _____

corto _____

il **modello** _____

la **stoffa** _____

la fantasia _____

la tasca _____

il bottone _____

4

quei pantaloni di velluto
  a coste _____

la vetrina _____

quello _____

la taglia _____

che taglia porta? _____

sicuro? _____

sembrare _____

provare _____

l'**attimo** _____

attenda un attimo … _____

il camerino _____

rosa _____

giallo _____

a quadri _____

a righe _____

gli shorts _____

la maglietta _____

lo scialle _____

a fiori _____

la seta _____

il goretex _____

il lino _____

la **commessa** _____

8

il **servizio** _____

la **cortesia** _____

scelgo i miei abiti _____

l'abito _____

gratuitamente _____

la **modifica** _____

il parcheggio _____

gratuito _____

cambiare idea _____

l'acquisto _____

me lo cambiano senza
  problemi _____

acquistare _____

mi vesto _____

vestirsi _____

l'ultima moda _____

GLOSSARIO

esistere _____

la taglia comoda _____

comodo _____

scoprire _____

scopri sempre un'idea _____

poco _____

⑨

entrare _____

⑩

la **signorina** _____

avere ragione _____

largo di vita _____

la vita _____

mah _____

la tonalità _____

strano _____

sportivo _____

elegante _____

⑪

il capo di abbigliamento _____

il difetto _____

la manica _____

la spalla _____

il cavallo _____

il collo _____

⑫

andare bene _____

accorciare _____

potete farlo voi? _____

prendere le misure _____

la misura _____

⑬

lo schema _____

allungare _____

allargare _____

stringere _____

troppo _____

sgambato _____

scollato _____

trasparente _____

⑮

occorrere _____

Le occorre qualcos'altro? _____

faccia pure! _____

non è male _____

viene ... lire _____

non è proprio a buon
mercato _____

a buon mercato _____

insomma _____

è di puro cotone puro
100% cotone (cento per
cento) _____

il cappello _____

⑯

il motivo _____

il cachemire _____

firmato _____

ricamato a mano _____

il cammello _____

rifinito a mano _____

⑱

la lunghezza _____

giusto _____

come mi sta? _____

secondo me _____

portare _____

sia ... sia ... _____

i jeans _____

elegante _____

scomodo _____

⑲

la **scarpa** _____

⑳

l'abbigliamento _____

vendere _____

vero _____

l'affare _____

ore pasti _____

l'**uomo** (*pl.* uomini) _____

usato pochissimo _____

usare _____

verde salvia _____

il paio (le paia) _____

lo stivale _____

la pelle _____

il camoscio _____

cadauno _____

l'abito da sposa _____

l'abito _____

la sposa _____

indossato per tre ore _____

a 600.000 tratt. _____
  (= trattabili) _____

serale _____

il giubbotto _____

foderato in pelo sintetico _____

ottimo stato _____

ottimo _____

lo stato _____

le scarpe in vitello _____

le scarpe da donna _____

la **donna** _____

il tacco _____

mai usate _____

mai _____

la **borsetta** _____

la (borsa a) tracolla _____

il cuoio _____

seminuovo _____

la giacca a vento _____

la tuta (da) sci _____

abbinare _____

l'**annuncio** _____

il tessuto _____

il **materiale** _____

㉑

il dimostrativo _____

l'aggettivo _____

la preposizione _____

LEZIONE 6

①

è stato in montagna _____

la **montagna** _____

è stata in Sicilia _____

il **tempo** _____

il **viaggio** _____

invitare _____

l'Arena _____

lo **spettacolo** _____

cominciare _____

il **monumento** _____

②

ti ho telefonato tante _____
  volte _____

telefonare _____

tante volte _____

la **volta** _____

l'altro ieri _____

la segreteria telefonica _____

la **campagna** _____

mia madre ha compiuto _____
  gli anni _____

compiere gli anni _____

il **parente** _____

lo zio _____

il cugino _____

la cugina _____

la **famiglia** _____

insomma _____

③

lasciare _____

la desinenza _____

il congresso _____

l'informatica _____

fare spese _____

fino a tardi _____

il **cinema** _____

④

essere in giro _____

per lavoro _____

vincere _____

il viaggio-premio _____

il premio _____

l'azienda _____

il collega _____

splendido _____

⑤

questa volta _____

l'esperienza _____

unico _____

favoloso _____

il **fine settimana** _____

stupendo _____

il villaggio turistico _____

magnifico _____

meraviglioso _____

⑥

praticamente _____

girare _____

l'**isola** _____

le città più importanti _____

importante _____

salire _____

239

GLOSSARIO

ah, però! _____

lassù _____

⑦

la Fontana di Trevi _____

il Papa _____

l'arcipelago _____

solitario _____

lo sci acquatico _____

famoso _____

la cascata _____

il deserto _____

il **paese** _____

⑧

così, così _____

gli Uffizi _____

il **film** _____

il **libro** _____

⑨

completamente _____

in modo favoloso _____

ancora più favoloso _____

⑩

festeggiare _____

dormire _____

ordinare _____

la dieta _____

la tisana _____

la **lezione** _____

la chimica _____

difficile _____

⑬

il silenzio _____

durare _____

davvero _____

tre giorni fa _____

fa _____

infatti _____

ricevere _____

il pacco _____

leggere _____

il capitolo _____

quando _____

nessuno _____

decidere _____

la moto(cicletta) _____

non ho fatto niente di
  speciale _____

rimanere * _____

tutto il tempo _____

continuare a studiare _____

l'**università** _____

fra due settimane _____

fra _____

Ferragosto _____

la funivia _____

non ti dico … _____

camminare _____

infine _____

il **lago** _____

il picnic _____

finire _____

l'**albero** _____

alcuni … ed **altri** … _____

giocare a carte _____

giocare _____

scendere a valle _____

la valle _____

attraverso _____

il **bosco** _____

l'autunno _____

già _____

inoltre _____

piovere _____

tirare vento _____

il **vento** _____

la **gente** _____

fare il bagno _____

come vi invidio _____

invidiare _____

raccontare _____

la telefonata _____

la Francia _____

la studentessa
  universitaria _____

⑭

coniugare _____

dividere _____

il foglio _____

il quaderno _____

la colonna _____

l'ausiliare *(m.)* _____

⑮

parlare di macchine _____

(17)

il compagno _____

durante _____

la gita _____

(18)

veramente avrei un
  impegno _____

avere un impegno _____

mannaggia! _____

potrei rimandarlo _____

rimandare _____

vedi un po' _____

l'occasione (f.) _____

perdere * _____

perfetto! _____

(19)

l'appuntamento _____

Via col vento _____

stasera _____

l'incontro di lavoro _____

l'incontro _____

il teatro comunale _____

comunale _____

la **riunione** _____

la **partita** _____

lo stadio _____

il pranzo d'affari _____

La vedova allegra _____

Il Lago dei Cigni _____

la cena di lavoro _____

dopodomani _____

(20)

a questo punto _____

io direi di vederci
  un pochino prima _____

qualcosina _____

tra le sette e mezzo e
  le otto _____

aspettare _____

volere dire _____

fare confusione _____

il viale _____

(21)

la **torre** _____

l'ente per il turismo (m.) _____

(23)

Le Nozze di Figaro _____

la festa in maschera _____

la maschera _____

(24)

che ne dici …? _____

volentieri _____

fare una nuotata _____

proprio _____

proporre * _____

accettare _____

l'invito _____

rifiutare _____

la proposta _____

LEZIONE 7

(1)

In treno o in aereo? _____

il **treno** _____

l'**aereo** _____

l'**agenzia** _____

il **biglietto** _____

il **biglietto di andata
  e ritorno** _____

in prima classe _____

la **classe** _____

di sera _____

la **cuccetta** _____

un altro _____

il **supplemento** _____

il fumatore _____

il non fumatore _____

in tutto _____

(2)

vorrei qualche informazione _____

l'**informazione** (f.) _____

qualche _____

la possibilità _____

diverso _____

la tariffa _____

intorno a _____

troppo _____

(3)

trasformare _____

il dépliant _____

GLOSSARIO

la crociera   _____

il libro di storia   _____

la storia   _____

interessante   _____

il **giornale**   _____

④

la destinazione   _____

la tariffa aerea   _____

⑤

ci vuole un sacco di tempo   _____

volerci   _____

un sacco di   _____

circa   _____

in fretta   _____

⑥

il collegamento   _____

la durata   _____

la cabina   _____

la **poltrona**   _____

⑦

la **nave**   _____

⑧

può vedere se …?   _____

se   _____

il vagone letto   _____

lo stesso   _____

in alto   _____

in basso   _____

il finestrino   _____

il corridoio   _____

⑩

rivedere   _____

gli spaghetti   _____

tanto   _____

⑪

la **pubblicità**   _____

viaggiare   _____

collegare   _____

viceversa   _____

diventa giornaliero   _____

diventare   _____

giornaliero   _____

fermare   _____

il percorso   _____

ridurre *   _____

rispetto a   _____

precedente   _____

l'orario invernale   _____

soppresso la domenica   _____

stesso   _____

un modo diverso   _____

il modo   _____

diverso   _____

⑫

diretto   _____

il **supplemento rapido**   _____

troppo presto   _____

presto   _____

più tardi   _____

cambiare   _____

la **coincidenza**   _____

⑬

la **partenza**   _____

l'**arrivo**   _____

⑭

perdere *   _____

⑮

uguale   _____

sopportare   _____

lo scompartimento   _____

pardon   _____

in mezzo   _____

fa lo stesso   _____

⑱

l'annuncio ferroviario   _____

il **diretto**   _____

la colonna   _____

l'Eurocity (m.)   _____

l'Intercity (m.)   _____

il regionale   _____

il **ritardo**   _____

il **binario**   _____

previsto   _____

⑲

a pagamento   _____

il pagamento   _____

ritirare   _____

il casello _____

l'entrata _____

il pedaggio _____

l'uscita _____

la coda _____

l'autoveicolo _____

specialmente _____

precedere _____

evitare _____

informato _____

bastare _____

accendere * _____
la **radio** _____

la trasmissione _____

il **traffico** _____

il lavoro in corso _____

la sosta _____

l'autogrill _____

il monitor _____

l'automobilista *(m./f.)* _____

autostradale _____

le condizioni
  meteorologiche _____

la tessera magnetica _____

servire _____

il **denaro** _____

il biglietto d'ingresso _____

avere problemi di resto _____

inoltre _____

la corsia preferenziale _____

riservato _____

il secondo _____

inserire (-isc) _____

la colonnina _____

automatico _____

una voce guida nelle
  operazioni _____

la voce _____

guidare _____

l'operazione *(f.)* _____

il punto vendita _____

presso _____

⑳

i **soldi** *(pl.)* _____

㉑

il distributore automatico _____

facile _____

①

Ti fermi a pranzo? _____

la **campagna** _____

puntuale _____

essere in ritardo _____

riparare _____

la **bicicletta** _____

fare jogging _____

giocare _____

avere bisogno di riposo _____

avere bisogno di qc. _____

il **riposo** _____

②

pronto! _____

a pochi chilometri da _____

il **chilometro** _____

fare un salto _____

aspettare _____

③

la cabina telefonica _____

a due passi da … _____

il passo _____

pubblico _____

④

andare via _____

magari _____

⑤

la variazione _____

fare due chiacchiere _____

la chiacchiera _____

⑥

giù _____

il **figlio** _____

sentirsi _____

⑦

la **terrazza** _____

stamattina _____

prendere il sole _____

lavare _____

il soggiorno _____

il **balcone** _____

la cantina _____

GLOSSARIO

(8)

il paradiso _____

divertirsi _____

divertirsi un mondo _____

sciare _____

purtroppo _____

bravo _____

iscriversi * _____

il corso di sci _____

divertirsi un sacco _____

(10)

annoiarsi _____

anzi _____

riposarsi _____

trovarsi bene _____

alzarsi _____

svegliarsi _____

(11)

la **difficoltà** _____

(12)

l'esempio _____

addormentarsi _____

mettersi a letto _____

lavorare a maglia _____

(13)

dedicare _____

mediamente _____

il sonno _____

la tavola _____

l'igiene (f.) _____

il **divertimento** _____

la cultura _____

controllare _____

indovinare _____

il popolo _____

attivo _____

pigro _____

l'ISTAT (Istituto Centrale
  di Statistica) _____

condurre * _____

l'indagine (f.) _____

il campione _____

risultare _____

medio _____

lo stereotipo _____

moderno

sportivo _____

iperattivo _____

il dormiglione _____

appena _____

infilare _____

la pantofola _____

schiacciare
  un pisolino _____

il pisolino _____

oltre _____

il terzo _____

la **giornata** _____

almeno _____

l'oretta _____

costare _____

pensare _____

occupare _____

risultare impegnativo _____

particolarmente _____

svolgere _____

l'attività domestica _____

tenersi * informato _____

tenere * _____

in compagnia _____

la compagnia _____

l'orecchio _____

il cellulare _____

fra l'altro _____

la mania _____

il doppio _____

personale _____

il tempo libero _____

lo **sport** _____

concedersi * _____

lo svago _____

tenersi in allenamento
  fisico _____

l'allenamento
  fisico _____

la **passeggiata** _____

la religione _____

la **politica** _____

(14)

indicare con
  una crocetta _____

fare la fila _____

chiedere scusa _____

discutere di soldi _____

rinunciare _____

(15)

soprattutto _____

godersi _____

la tranquillità _____

l'attività _____

l'**augurio** _____

(16)

la **sigaretta** _____

(17)

la coppia di sposi _____

appena _____

nato _____

la felicitazione _____

felice _____

il matrimonio _____

il consiglio _____

perché vada tutto liscio _____

ora _____

la laurea _____

il **tipo** _____

giusto _____

(18)

la felicità _____

la baby-sitter _____

indipendente _____

ognuno _____

piccolo o grande che sia _____

libero _____

il ritmo _____

proprio _____

la passione _____

a partire da _____

il bimbo _____

lo spazio _____

organizzare _____

l'adulto _____

matto _____

lo sguardo _____

attento _____

la mamma _____

il papà _____

finalmente _____

ritrovare _____

sospirato _____

il tête-a-tête *(franc.)* _____

la riva _____

l'escursione *(f.)* _____

il cavallo _____

come non la facevano
  da anni _____

i **genitori** _____

permettersi * _____

dimenticare _____

l'animatore *(m.)* _____

(19)

fare amicizia _____

(20)

allegramente _____

(21)

praticare _____

LEZIONE 9

(1)

la **trattoria** _____

il **menù** _____

il **piatto** _____

nominare _____

l'**antipasto** _____

il melone _____

l'**insalata** _____

il crostino _____

la bruschetta _____

il **primo piatto** _____

i maccheroni _____

le penne _____

la **pasta** _____

il fagiolo _____

il risotto _____

l'orecchietta _____

gli gnocchi _____

il minestrone _____

il **secondo piatto** _____

il **pesce** _____

il fritto misto _____

misto _____

la sogliola _____

panata _____

ai ferri _____

il baccalà _____

alla veneta _____

le cozze _____

alla marinara _____

GLOSSARIO

la trota _____

la trota alla mugnaia _____

la trancia _____

il pesce spada _____

alla griglia _____

la **carne** _____

la braciola di maiale _____

il filetto di manzo _____

l'ossobuco (*pl.* ossibuchi) _____

scaloppina _____

il marsala _____

l'**arrosto** di vitello _____

il forno _____

l'involtino _____

il fegato _____

pollo al mattone _____

il **pollo** _____

il coniglio _____

alla cacciatora _____

la trippa _____

il contorno _____

la rucola _____

il fagiolino _____

la **patata** _____

al forno _____

il carciofo _____

alla giudia _____

gli spinaci _____

la peperonata _____

i funghi trifolati _____

la **frutta** _____

il **dolce** _____

la frutta di stagione _____

la stagione _____

la macedonia _____

fresco _____

la torta _____

la panna cotta _____

il crème caramel *(franc.)* _____

la descrizione _____

la padella _____

la ciotola di terracotta _____

il tegame _____

il rosmarino _____

accendino _____

④
la specialità _____

la porzione _____

ne _____

⑤
il ragù _____

i rigatoni _____

il sugo _____

le trenette _____

il pesto _____

i tortellini _____

il **brodo** _____

i bucatini _____

all'amatriciana _____

le lasagne _____

alla carbonara _____

la minestra di verdure _____

la **minestra** _____

la **verdura** _____

il gorgonzola _____

lo sformato _____

le vongole _____

l'aglio _____

l'**olio** _____

le linguine _____

i frutti di mare _____

i cannelloni _____

i cannelloni di magro _____

il risotto alla milanese _____

⑥
abbondante _____

appena _____

l'assaggio _____

i tortelli _____

la zucca _____

il **pezzo** _____

la nonna _____

la fetta _____

⑦
fresco _____

surgelato _____

la seppia _____

lo scampo _____

il dentice _____

⑧

al sangue _____

ben cotto _____

bollito _____

la cipolla _____

le fettuccine _____

lo spiedo _____

gratinato _____

(9)

il gambero _____

(10)

la ciotola _____

(11)

il tiramisù _____

il mascarpone _____

il biscotto _____

il liquore _____

lo spezzatino _____

tagliare _____

cucinare _____

cucinare in umido _____

l'acquacotta _____

il basilico _____

il pinolo _____

il saltimbocca alla romana _____

la salvia _____

(12)

l'uva _____

assaggiare _____

eccezionale _____

tenero _____

saporito _____

essere saporito _____

(14)

l'ingrediente _____

il peperone _____

la cipolla _____

la foglia _____

la cucchiaiata _____

l'olio d'oliva _____

il **sale** _____

tagliare _____

a fette sottili _____

sottile _____

la casseruola _____

fare dorare _____

aggiungere _____

lo spicchio _____

mescolare _____

unire _____

pelato _____

spezzettato _____

pelato _____

coprire _____

fare cuocere _____

cuocere _____

a fuoco basso _____

basso _____

necessario _____

bagnare _____

servire _____

la descrizione _____

(15)

la ricetta _____

il **riso** _____

secco _____

il **litro** _____

il parmigiano _____

grattugiato _____

la **metà** _____

il **cucchiaio** _____

intanto _____

versare _____

(16)

hai da accendere? _____

accendere * _____

ormai _____

smettere * _____

davvero? _____

diciamo che … _____

va' _____

provare _____

fumare _____

beata te! _____

beato _____

la forza di volontà _____

incredibile _____

riuscire * _____

247

GLOSSARIO

(17)

arrangiarsi _____

mangiabile _____

(18)

il carnevale _____

il **campeggio** _____

(19)

il **conto** _____

(20)

il ristoratore _____

l'artista *(m./f.)* _____

veneto _____

l'hobby *(m.)* _____

il piacere _____

insieme a _____

i loro _____

esistere _____

trovarsi _____

la frazione _____

il **lago** _____

il locale _____

il piano terra _____

la **sala da pranzo** _____

la parete _____

letteralmente _____

il dipinto _____

l'autore *(m.)* _____

importante _____

il cliente affezionato _____

prima di _____

scambiare quattro
  chiacchiere _____

il padrone di casa _____

il piacere _____

l'odore *(m.)* _____

l'atmosfera _____

non c'è bisogno di ... _____

ordinare _____

quasi _____

vuoto _____

genuino _____

la cuoca _____

insuperabile _____

tradizionale _____

le tagliatelle _____

il fegatino di pollo _____

il pasticcio al forno _____

gli strangolapreti _____

la faraona _____

lo stinco di agnello _____

il bollito _____

la salsina _____

pepato _____

il midollo di bue _____

alla fine _____

la fine _____

la pasta frolla _____

la delizia _____

il rito _____

dopo una bella mangiata _____

che cosa c'è di meglio di ... _____

produrre * _____

la «graspa» _____

«basar» _____

per telefono _____

internazionale _____

la produzione propria _____

la produzione _____

LEZIONE 10

(1)

dimenticare _____

preparare _____

la padrona di casa _____

il tacchino _____

lo zampone _____

il minestrone _____

il cotechino _____

la lenticchia _____

ripieno _____

il capitone _____

il cappone _____

l'ospite *(m.)* _____

il **gioco** _____

il **paese** _____

(2)

qualcuno _____

nessuno _____

dare una mano _____

scaricare la macchina _____

scaricare _____

volentieri _____

aiutare _____

apparecchiare la tavola _____

apparecchiare _____

la tavola _____

④

nel caos più completo _____

il caos _____

completo _____

rotto _____

sporco _____

fare le valigie _____

mettere in ordine _____

⑤

per prima cosa _____

mettere _____

la tovaglia _____

la **forchetta** _____

il **coltello** _____

la **minestra** _____

il **cucchiaio** _____

la posata _____

cioè _____

la forchettina _____

neanche _____

mancare _____

la caraffa _____

la saliera _____

il portapepe _____

l'oggetto _____

⑥

crederci _____

⑦

la cosa _____

⑧

adorare _____

la quindicina _____

⑨

la cioccolata _____

la nocciolina _____

la tazzina _____

⑩

significare _____

la decina _____

la dozzina _____

la ventina _____

la trentina _____

il centinaio (_pl._ centinaia) _____

il migliaio (_pl._ migliaia) _____

⑫

il **programma** _____

il cenone _____

la tombola _____

accidenti a me! _____

⑬

San Silvestro _____

trascorrere * _____

diversamente _____

l'attesa _____

lo scadere _____

tirare fuori _____

brindare _____

a questo punto _____

ammazzare _____

il razzo _____

la girandola _____

riempirsi _____

diffondersi _____

curioso _____

l'usanza _____

accogliere _____

addosso _____

le mutande (_pl._) _____

l'albero di natale _____

insieme _____

il regalo _____

il pacchetto _____

contenere * _____

gli slip _____

i boxer _____

rosso fiamma _____

la fiamma _____

il modo _____

augurarsi _____

la tradizione _____

andare perduto _____

gettare _____

la **finestra** _____

celebrare _____

vuoto _____

rovesciare _____

chissà _____

GLOSSARIO

l'automobile (f.) _____

il vicino _____

prevedere * _____

fisso _____

regnare _____

accompagnarsi _____

gustoso _____

il legume _____

la fantasia _____

popolare _____

rappresentare _____

quanto più ... tanto più ... _____

ricco _____

sperare _____

diventare _____

nel corso del nuovo anno _____

la ricchezza _____

quello che i più si
   augurano _____

la salute _____

il proverbio _____

famoso _____

l'attore (f. -trice) _____

l'autore (f. -trice) _____

comico _____

romano _____

la canzone _____

la biancheria _____

⑭

innamorarsi _____

ballare _____

un sacco di gente _____

non poterne più _____

raccontare _____

scorso _____

⑮

c'è proprio bisogno che ... _____

sbrigarsi _____

farcela _____

in fretta _____

visto che ... _____

occorrere _____

il pacchetto _____

la scatola _____

il cerino _____

⑱

la salumeria _____

la cartoleria _____

la merceria _____

il dentifricio _____

lo spazzolino _____

il francobollo _____

la penna _____

la gomma _____

il filo _____

l'ago _____

il cerotto _____

⑲

il gruppo _____

LEZIONE 11

la laurea _____

il magistero _____

il corso integrativo _____

l'istituto magistrale _____

il diploma di maturità _____

il liceo _____

classico _____

il liceo artistico _____

il liceo lingustico _____

l'istituto tecnico _____

il turismo _____

il geometra _____

industriale _____

commerciale _____

nautico _____

la scuola professionale _____

la scuola magistrale _____

la scuola d'arte _____

la scuola media _____

la licenza _____

la scuola dell'obbligo _____

la scuola elementare _____

la scuola materna _____

①

lo **studio** _____

il colloquio _____

il colloquio di lavoro _____

iscriversi _____

sposato _____

usare _____

dinamico _____

affidabile _____

abile _____

positivo _____

intendere _____

fissare un appuntamento _____

fissare _____

l'**appuntamento** _____

②

la ricerca di collaboratori _____

la ricerca _____

il collaboratore _____

lo studio legale _____

la compagnia di
assicurazioni _____

la compagnia _____

l'assicurazione (f.) _____

ricercare _____

il neodiplomato _____

avviare _____

l'attività _____

la liquidazione danni _____

il danno _____

dettagliato _____

il curriculum _____

il cuoco _____

referenziato _____

per rapporto annuale _____

il rapporto _____

annuale _____

lo stipendio _____

mensile _____

l'emittente radiotelevisiva _____

locale _____

il collaboratore _____

richiedesi _____

richiedere * _____

massimo _____

massima serietà _____

la serietà _____

la disponibilità _____

massimo ventottenne _____

militesente _____

la richiesta _____

la collaboratrice _____

la conoscenza _____

la facilità di contatto _____

umano _____

l'ambizione (f.) _____

professionale _____

il dinamismo _____

l'opportunità _____

l'ambiente (m.) _____

giovane _____

creativo _____

continuo _____

l'espansione (f.) _____

il mobilificio _____

la promozione _____

la provincia _____

l'età _____

automunito _____

l'arredamento _____

③

l'inserzione (f.) _____

pubblicare _____

l'offerta di lavoro _____

l'offerta _____

il servizio militare _____

essere diplomato _____

impersonale _____

④

è permesso? _____

si accomodi! _____

accomodarsi _____

presentarsi _____

diverse persone _____

e cioè? _____

il **giovane** _____

il ragazzo _____

⑤

diplomarsi _____

incontrarsi _____

laurearsi _____

riunirsi _____

la facoltà _____

la medicina _____

la chimica _____

il professore _____

discutere * _____

⑥

l'ex compagno di scuola _____

il **compagno di scuola** _____

carino _____

il romanzo _____

il **disco** _____

la letteratura _____

251

GLOSSARIO

(7)

l'esperienza

particolare

la matematica

vincere *

la borsa di studio

quindi

a un certo punto

continuare

la **guida turistica**

esprimere

la conseguenza

avvenire un cambiamento

(8)

mettersi in proprio

la verità

l'**affitto**

il monolocale

(9)

la **vita**

(10)

l'architettura

l'ingegneria

il curriculum vitae

il luogo di nascita

il luogo

la data di nascita

la data

la nascita

lo stato civile

coniugato

l'ambasciata

la posizione militare

prestare

il battaglione

il diploma di maturità

conseguire

la votazione

conoscenza

discreto

la referenza

disponibile

su richiesta

(11)

classico

oltre a

sapere

(12)

suonare

guidare

il walzer

nuotare

il computer

stenografare

scrivere a macchina

lavorare a maglia

cucire

andare a cavallo

(13)

ritornare

sposarsi

trasferirsi

(14)

in riferimento a

permettersi

presentare domanda

l'impiego

per l'impiego in questione

l'aiuto receptionist (*m. + f.*)

il **ritorno**

perfettamente

correttamente

essere in grado

la corrispondenza
  commerciale

l'attenzione (*f.*)

salutare

(17)

mantenere

(18)

celibe

nubile

l'ufficio esportazioni

(19)

chiaro

più

meno

(20)

intelligente

estroverso

capace

attivo

bravo _____

preparato _____

la dattilografa _____

㉑

il giornalista _____

intervistare _____

scolastico _____

la carriera _____

㉒

la scrivania _____

proporre * _____

richiamare _____

㉓

il ragioniere _____

la documentazione _____

l'amministrazione (f.) _____

l'invito _____

㉔

la giornalista _____

la scrittrice _____

curare _____

la rubrica _____

la rivista _____

l'attualità _____

la lettrice _____

rivolgersi * _____

il corpo di polizia _____

sconsigliare _____

il ruolo _____

adatto _____

generalmente inteso _____

il mestiere _____

singolo _____

la capacità _____

il requisito necessario _____

la Questura _____

il chirurgo _____

la collaboratrice familiare (colf) _____

l'elettricista (m. + f.) _____

il macchinista (anche la) _____

il meccanico _____

il pilota _____

il tassista (anche la) _____

①

la coppia _____

l'abitazione (f.) _____

la situazione economica _____

la situazione _____

economico _____

attuale _____

②

pensare _____

il buco _____

esagerare _____

l'appartamentino _____

③

enorme _____

il boccale _____

costoso _____

la villa _____

la sbronza _____

④

il diminutivo _____

⑤

storico _____

l'affresco _____

l'epoca _____

con affreschi d'epoca _____

la residenza _____

signorile _____

essere in vendita _____

la vendita _____

occupare _____

il piano nobile _____

misurare _____

il metro quadrato _____

il **metro** _____

trovarsi _____

lungo _____

la strada principale _____

la porta _____

la piazzetta _____

verso il mare _____

il **palazzo** _____

la cittadina _____

significativo _____

essere posto _____

il **balcone** _____

essere composto _____

comprendere _____

l'ingresso _____

il salone _____

il soggiorno _____

la **cucina** _____

la stanza da letto, _____

per renderlo rispondente
  alle esigenze di oggi _____

l'esigenza _____

alcuni lavori di
  ammodernamento _____

alcuni _____

l'ammodernamento _____

in particolare _____

i servizi _____

la superficie _____

utile _____

richiedere * _____

l'agenzia immobiliare _____

la piantina _____

descrivere * _____

(6)

la **porta** _____

la maglia _____

pesante _____

la boxe _____

l'**ombrello** _____

la barca _____

(7)

il mutuo _____

lo **studio** _____

meglio _____

il sacrificio _____

fare sacrifici _____

(8)

il processo _____

entro _____

superare _____

(9)

la flanella _____

il trasloco _____

il risparmio _____

prendere in affitto _____

(10)

investire _____

l'azione (f.) _____

il capitale _____

assumere * _____

la **direzione** _____

la **società** _____

(11)

doppio _____

il **salotto** _____

il terrazzo _____

perfino _____

lo sgabuzzino _____

pulire _____

(12)

nervoso _____

riparlare _____

il discorso _____

l'investimento _____

migliore _____

appunto _____

(13)

approfittare _____

la gentilezza _____

dubitare _____

la sincerità _____

godere _____

il vantaggio _____

soffrire _____

il **mal di testa** _____

rispondere di qc. _____

la pulizia _____

(15)

arredare _____

i mobili *(pl.)* _____

sistemare _____

la cucina a gas _____

il lavandino _____

il comodino _____

il letto matrimoniale _____

l'**armadio** _____

la sedia _____

il letto a castello _____

la libreria _____

la cassettiera _____

la lampada _____

il tappeto _____

il **divano** _____

la **poltrona** _____

il bidet _____

il water _____

il lavabo _____

lo scaffale _____

(16)

il cognato _____

occuparsi _____

il socio _____

versare _____

certo _____

il capitale _____

diventerei gestore del _____
  mio lavoro

il gestore _____

l'orario rigido _____

rigido _____

il guadagno _____

maggiore _____

avere paura _____

la paura _____

rischiare _____

le **ferie** *(pl.)* _____

preoccuparsi _____

momentaneamente _____

i suoceri _____

essere disposto a ... _____

dal momento che ... _____

dipendere _____

al mio posto _____

prezioso _____

abbracciare _____

lo svantaggio _____

il lavoro in proprio _____

comportare rischi _____

il rischio _____

affrontare un rischio _____

neanche _____

quanto a _____

superiore _____

in continuazione _____

generoso _____

insomma _____

in fondo _____

peggio _____

riflettere _____

la decisione _____

condividere _____

peggiore _____

minore _____

alto _____

inferiore _____

(17)

sognare _____

contento _____

guadagnare _____

(19)

la facoltà di lettere _____

contare su qn. _____

affatto _____

prestare _____

(21)

la/il conoscente _____

la periferia _____

conveniente _____

il giardinaggio _____

lo spazio _____

la tranquillità _____

pulito _____

il coniuge _____

la rata _____

contrario _____

essere contrario _____

il trasferimento _____

l'**estero** _____

il periodo _____

l'avanzamento di carriera _____

a disposizione _____

la ditta _____

il clima _____

LEZIONE 13

(1)

Sentiti a casa tua! _____

avere intenzione di _____

l'intenzione *(f.)* _____

improvvisamente _____

suonare _____

l'allarme *(m.)* _____

girare _____

verso destra/sinistra _____

la **lavatrice** _____

ripartire _____

GLOSSARIO

(2)

sbagliare numero _____

(4)

anzi _____

pubblico _____

comunque _____

la vicina _____

(5)

l'**aeroporto** _____

fare il check-in _____

il porto _____

pure _____

(6)

la videocassetta _____

registrare _____

(7)

a proposito _____

lo yogurt _____

altrimenti _____

andare a male _____

lo yogurt intero _____

la fattoria _____

sano _____

la filosofia _____

(8)

il video _____

il cassetto _____

(10)

spento _____

rovinarsi _____

(11)

il **gas** _____

perdere il gas _____

tanto _____

rotto _____

(12)

il pianoforte _____

protestare _____

funzionare _____

(13)

arrabbiato _____

tenere * _____

(14)

il gettone _____

figurati! _____

figurarsi _____

(15)

la **macchina fotografica** _____

il **portiere** _____

(16)

la pazienza _____

tradurre * _____

(19)

tenere basso il volume _____

il volume _____

gentile _____

(20)

tranquillizzare _____

(21)

il biglietto _____

benvenuto _____

brevemente _____

augurare _____

il soggiorno _____

la raccomandazione _____

solo qualche
  raccomandazione _____

tirare _____

difettoso _____

il rubinetto _____

perdere * _____

pulire _____

la formica _____

lasciare in giro _____

invadere * _____

prima _____

spegnere * _____

lo scaldabagno _____

viceversa _____

la corrente _____

salta la corrente _____

raccomandare _____

innaffiare _____

regolarmente _____

seccarsi _____

lo stereo _____

pure _____

oppure _____

inserire (-isc) _____

buon divertimento! _____

trascrivere * _____

l'imperativo _____

presente _____

formulare _____

㉓

collocare _____

㉔

la pubblicità _____

il progresso _____

la difesa _____

l'indifeso _____

il non vedente _____

il percorso ad ostacoli _____

per colpa nostra _____

la colpa _____

semplice _____

la norma _____

la civiltà _____

ci sono norme di civiltà che _____
   spesso non vengono _____
   osservate _____

avere dieci decimi _____

eccone alcune _____

ostruire il marciapiede _____

ostruire (-isc) _____

il marciapiede _____

gettare _____

i rifiuti *(pl.)* _____

per terra _____

portare in giro _____

il cane _____

la paletta _____

inutile _____

orientarsi _____

l'udito _____

zittirsi _____

improvvisamente _____

rendersi invisibile _____

afferrare _____

il braccio (*pl.* braccia) _____

separarsi _____

attenti a ... _____

il palo _____

lo scalino _____

il sorriso _____

il cenno della testa _____

il cenno _____

la testa _____

non servire _____

il buon senso _____

avrete già fatto molto _____

prestare _____

l'occhio _____

la mano (*pl.* le mani) _____

la voce _____

l'associazione _____

ricordare _____

la cortesia _____

il guaio _____

il mondo _____

il cieco _____

LEZIONE 14

①

Ci pensi Lei! _____

il capufficio _____

l'istruzione (*f.*) _____

correggere * _____

battere a macchina _____

spedire(-isc) _____

archiviare _____

l'articolo _____

fotocopiare _____

la fotocopia _____

l'offerta _____

spostare _____

disdire * _____

il dentista _____

②

oggi stesso _____

③

il telegramma _____

il bilancio _____

il dischetto _____

stampare _____

la relazione _____

la posta _____

il documento _____

il contratto _____

l'archivio _____

la ricevuta _____

il ragioniere _____

④
la fotocopiatrice _____
ancora? _____
rompersi * _____
chiamare _____
il tecnico _____
ormai _____
lento _____
valere la pena _____

⑦
servire _____
sopra _____

⑧
la copia _____
il progetto _____

⑨
la traduttrice _____
avvertire _____

⑩
il foglio _____

⑪
la stampante _____
la **ditta** _____

⑫
il software _____
anzi _____

⑬
il discorso _____

⑭
a memoria _____
la **polizia** _____

⑮
un pochino prima _____
avere qualcosa in contrario _____
in linea di massima _____
mettersi d'accordo _____

⑰
tutti e due _____

⑱
il dipendente _____

⑲
Spett. (= spettabile) _____
s.r.l. (= società a
  responsabilità limitata) _____
egregio _____
esaminare _____
la proposta _____
la gestione _____
vivamente _____
l'interesse _____
essere dolente _____
provvedere _____
risolvere * _____
assicurare _____
in ogni modo _____
futuro _____
la collaborazione _____
contattare _____
porgere i saluti _____
distinti saluti _____

⑳
il pronome _____
reggere * _____

㉑
la **società** _____
avere il piacere _____
a tale proposito _____
la disponibilità _____
in attesa _____
l'attesa _____
al più presto _____
iniziare _____

LEZIONE 15

①
Non lo sapevo! _____
l'escursione (f.) _____
il principiante _____

②
accidenti! _____

④
essere organizzato _____
la lezione _____
la pausa per il pranzo _____
la pausa _____

trovare/cercare il pelo
  nell'uovo

soddisfatto

⑤

impegnato

chiacchierare

intorno al fuoco

intorno a

il **fuoco**

cantare

⑥

la casa dello studente

imparare

avere contatto

⑨

il consigliere comunale

il partito repubblicano
  italiano

il sindaco

il deputato

il parlamento europeo

la pagina

autobiografico

Vestivamo alla marinara

la **moneta**

il cibo

esotico

sdraiarsi al sole

stare seduto

l'**ombra**

cambiarsi

seminudo

in qualsiasi momento

innamorarsi di

castano

scuotere *

il ricciolo

i riccioli ombreggiati di
  rosso

ridere *

scherzare

fare arrabbiare

con uno spiccato accento
  piemontese

spiccato

l'accento

non potere soffrire

insieme

andare a girare

il sentiero

il vicino

giù

la spiaggetta

⑫

legge (f.)

⑬

migliorare

⑮

il concorso letterario

lo scrittore

l'edizione (f.)

il **padre**

eravamo una famiglia
  unita

essere unito

riunirsi (-isc)

la nipote

prediletto

sia … che …

addirittura

dal canto loro

coccolare

riempire di premure

felice

a pochi metri di distanza

la distanza

talvolta

la serenità

vi raccontava storie
  di spiriti

la storia

lo spirito

il carattere

allegro

infantile

per certi versi

sentirsi amato

non solo … ma
  anche …

scendeva al nostro
  livello

il livello

ci faceva salire al
  suo livello

ci faceva sentire grandi

non ci dava niente in
  cambio   _____

lamentarsi   _____

fuggire come la peste   _____

il metodo   _____

la pazienza   _____

(16)

la rivista specializzata   _____

(17)

interessarsi   _____

la letteratura   _____

la **politica**   _____

(18)

l'infanzia   _____

essere legato a una persona   _____

(19)

l'orecchino   _____

regalare   _____

scattare   _____

in occasione di   _____

il battesimo   _____

avvenire *   _____

emozionato   _____

il suocero   _____

la suocera   _____

in braccio   _____

la nuora   _____

la madrina   _____

il padrino   _____

il genero   _____

la cognata   _____

è veramente un amore   _____

l'**amore** *(m.)*   _____

(21)

il fiore   _____

la **pianta**   _____

l'**orologio**   _____

la stilografica   _____

Elenco parole in ordine alfabetico

La prima cifra indica la lezione, la seconda l'attività. L'asterisco indica che il verbo ha una forma irregolare al presente o al passato prossimo.

La cifra 0 si riferisce a testi o ad illustrazioni posti prima del "Questionario".

avere * **1** 21/**2** 2
avere bisogno **8** 1
avere contatto **15** 6
avere dieci decimi **13** 24
avere il piacere **14** 21
avere intenzione di **13** 1
avere la sveglia **3** 9
avere paura **12** 16
avere qc. in contrario **14** 15
avere ragione **5** 10
avere sete **2** 2
avere tempo **2** 24
avere un impegno **6** 18
avere voglia **2** 24
avere ... anni **1** 22
avvenire **11** 7/**15** 19
avvertire **14** 9
avviare **11** 2
avvocato **1** 1
azienda **6** 4
azienda agrituristica **3** 14
azione **12** 10
azzurro **5** 1

b

baby-sitter **8** 18
baccalà **9** 1
bagaglio **3** 1
bagnare **9** 14
bagno **3** 0
balcone **8** 7/**12** 5
ballare **10** 13
bambino **1** 22
banca **1** 17
banco **2** 0
bar **1** 17/**2** 1
barca **12** 6
basar **9** 20
basilico **9** 11
basso **9** 14
bastare **7** 19
battaglione **11** 10
battere a macchina **14** 1
battesimo **15** 19
beato **9** 16
beh **2** 2/**4** 4
beige **5** 1
bello **2** 1
ben cotto **9** 8
bene **1** 2
benissimo **1** 12/**2** 5
benvenuto **13** 21
bere * **1** 1
bevanda **1** 19
biancheria **10** 13
bianco **1** 1/**5** 1
bibita **2** 0
bicchiere **2** 6
bicicletta **8** 1
bidet **12** 15
biglietto **7** 1/**13** 21
biglietto d'ingresso **7** 19

bilancio **14** 3
bimbo **8** 18
binario **7** 18
birra **1** 18
biscotto **9** 11
bisogna **2** 24
bistecca **9** 8
blu **5** 1
boccale **12** 3
bollito **9** 8/**9** 20
borsa di studio **11** 7
borsetta **5** 20
bosco **6** 13
bottiglia **2** 0
bottone **5** 3
boxe **12** 6
boxer **10** 13
braccio **13** 24
braciola di maiale **9** 1
bravo **8** 8/**11** 20
brevemente **13** 21
brindare **10** 13
brodo **9** 5
bruschetta **9** 1
bucatini **9** 5
buco **12** 2
buon **2** 18
buon senso **13** 24
buonasera **1** 2
buongiorno! **1** 2
buono **2** 2
burro **2** 8

c

cabina **7** 7
cabina telefonica **4** 6/**8** 3
cachemire **5** 16
cadauno **5** 20/**2** 0
caffè **2** 4
caffellatte **2** 10
caldo **2** 6
calze **5** 1
cambiamento **11** 7
cambiare **3** 18/**4** 14/**5** 0/
   7 12
cambiare idea **5** 8
cambiarsi **15** 9
camera **3** 1
camera doppia **3** 1
camera matrimoniale **3** 1
camera singola **3** 1
camerino **5** 4
camicetta **5** 3
camicia **5** 1
cammello **5** 16
camminare **6** 13
camomilla **2** 0
camoscio **5** 20
campagna **6** 2/**8** 1
campeggio **9** 18
campione **8** 13
cane **13** 24

cannelloni **9** 5
cannelloni di magro **9** 5
cantare **15** 5
cantina **8** 7
canzone **10** 13
caos **10** 4
capace **11** 20
capacità **11** 24
capire (-isc) **1** 7
capitale **11** 10/**12** 16
capitolo **6** 13
capitone **10** 1
capo di abbigliamento **5** 11
cappello **5** 15
cappone **10** 1
cappotto **5** 1
cappuccino **2** 0
capufficio **14** 1
caraffa **2** 0/**10** 5
carattere **15** 15
carciofino **2** 7
carciofo **9** 1
carino **11** 6
carne **9** 1
carnevale **9** 18
caro **1** 21/**2** 1
carriera **11** 21/**12** 21
carta d'identità **3** 1
cartoleria **10** 18
cartolina **1** 21
casa **2** 24
casa dello studente **15** 6
casalinga **1** 12
cascata **6** 7
casello **7** 19
cassa **2** 24
casseruola **9** 14
cassettiera **12** 15
cassetto **13** 8
castano **15** 9
cavallo **5** 11/**8** 18
celebrare **10** 13
celeste **5** 1
celibe **11** 18
cellulare **8** 13
cena **3** 7
cena di lavoro **6** 19
cenno **13** 25
cenno della testa **13** 24
cenone **10** 12
centinaio **10** 10
centro **2** 1
cercare **1** 21
cerino **10** 16
cerotto **10** 18
certo **2** 11/**3** 7/**12** 16
cetriolino **2** 8
che **1** 12/**1** 21
che cosa? **1** 3
chi **1** 22
chiacchiera **8** 5
chiacchierare **15** 5
chiamare **14** 4

chiamarsi **1** 7
chiaro **5** 1/**11** 20
chiave **3** 2
chiedere **4** 1
chiedere scusa **8** 14
chiesa **4** 15
chilometro **8** 2
chimica **6** 10/**11** 5
chirurgo **11** 24
chissà **10** 13
chiudere **4** 14
chiuso **3** 15
chiusura **4** 14
ciao **1** 1
cibo **15** 9
cieco **13** 24
cinema **6** 3
cintura **5** 1
cioccolata **2** 0/**10** 9
cioè **4** 14/**10** 5/**11** 4
ciotola **9** 10
ciotola di terracotta **9** 1
cipolla **9** 8/**9** 14
circa **7** 5
città **1** 22/**6** 6
cittadina **12** 5
civiltà **13** 24
classe **7** 1
classico **11** 1/**11** 10
cliente **3** 8/**9** 20
clima **12** 21
coccolare **15** 15
coda **7** 19
cognac **1** 19
cognata **15** 19
cognato **12** 16
cognome **1** 7
coincidenza **7** 12
colazione **2** 24
collaboratore **11** 2
collaboratrice **11** 2
collaboratrice familiare
   (colf) **11** 24
collaborazione **14** 19
collega **6** 4
collegamento **7** 7
collegare **7** 11
collo **5** 11
collocare **13** 23
colloquio **11** 1
colloquio di lavoro **11** 1
colonna **6** 14/**7** 18
colonnina **7** 19
colore **5** 1
colpa **13** 24
coltello **10** 5
come stai? **1** 1
come no! **5** 2
come va? **2** 15
comico **10** 13
cominciare **6** 1
commerciale **11** 0
commessa **5** 6

economico **2** 1/**12** 1
edicola **4** 4
edizione **15** 15
egregio **14** 19
elegante **5** 10/**5** 19
elettricista **11** 24
elezioni **2** 16
emittente radiotelevisiva
   11 2
emozionato **15** 19
enorme **12** 2
ente per il turismo **6** 21
entrare **5** 9/**10** 3
entrata **7** 19
entro **12** 8
epoca **12** 5
esagerare **12** 2
esame **2** 16
esaminare **14** 19
esattamente **2** 18/**3** 2
esatto **1** 1
escursione **8** 18/**15** 1
esempio **8** 12
esercizio **1** 3
esigenza **12** 5
esistere **5** 8/**9** 20
esotico **15** 9
espansione **11** 2
esperienza **6** 5/**11** 7
esposizione **4** 3
espressione **3** 13
espresso **2** 0/**2** 24
esprimere **11** 7
esserci **2** 15
esserci bisogno **10** 15
essere * **1** 1/**2** 2
essere composto **12** 5
essere di qui **4** 2
essere diplomato **11** 3
essere disposto a **12** 16
essere dolente **14** 19
essere in giro **6** 4
essere in grado **11** 16
essere in ritardo **8** 1
essere in vendita **12** 5
essere legato **15** 18
essere organizzato **15** 4
essere posto **12** 5
essere saporito **9** 12
essere un amore **15** 19
essere unito **15** 15
estate **4** 15
estero **12** 21
estroverso **11** 20
età **11** 2
eventualmente **3** 7
evitare **7** 19
ex compagno di scuola **11** 6

f

fa **6** 13
facile **7** 21
facilità **11** 2

facoltà **11** 5
facoltà di lettere **12** 18
fagiolino **9** 1
fagiolo **9** 1
falso **3** 15
fame **2** 3
famiglia **6** 2/**15** 15
famoso **6** 7/**10** 13
fantasia **5** 3/**10** 13
faraona **9** 20
farcela **10** 15
fare * **1** 3/**1** 12/**2** 6
fare amicizia **8** 19
fare arrabbiare **15** 9
fare caldo **2** 4
fare colazione **2** 24
fare confusione **6** 20
fare cuocere **9** 14
fare dorare **9** 14
fare due chiacchiere **8** 5
fare fotografie **2** 15
fare freddo **2** 4
fare il bagno **6** 13
fare il check-in **13** 5
fare in tempo **3** 5
fare jogging **8** 1
fare la fila **8** 14
fare le valigie **10** 4
fare parte **3** 18
fare sacrifici **12** 7
fare spese **6** 3
fare un salto **8** 2
fare una nuotata **6** 24
farmacia **4** 6
farmacia di turno **4** 14
farmacista **1** 13
fattoria **13** 7
favoloso **6** 5/**6** 9
febbraio **3** 21
fegatino di pollo **9** 20
fegato **9** 1
felice **8** 17/**15** 15
felicità **8** 18
felicitazione **8** 17
feriale **4** 14
ferie **12** 16
fermare **7** 11
fermarsi **8** 1
fermata **4** 1
ferragosto **6** 13
festa **1** 1
festa in maschera **6** 23
festeggiare **6** 10
festivo **4** 14
fetta **9** 6
fettuccine **9** 8
fiamma **10** 13
figlio **8** 6
figurarsi **13** 14
filetto di manzo **9** 1
film **6** 8
filo **10** 18
filosofia **1** 22/**13** 7
finalmente **8** 18

fine **3** 15/**9** 20
fine settimana **6** 5
finestra **10** 13
finestrino **7** 9
finire **6** 13
fino a tardi **6** 3
fino a **4** 1
finora **6** 13
fiore **15** 21
firmato **5** 16
fisico **8** 13
fissare **11** 1
fisso **10** 13
flanella **12** 9
foderato **5** 20
foglia **9** 14
foglio **6** 14/**14** 10
fontana **4** 8
fontina **2** 7
forchetta **10** 5
forchettina **10** 5
forma di pagamento **3** 0
formaggio **2** 8
formale **1** 2
formare **1** 3
formica **13** 21
formulare **13** 21
forno **9** 1
forse **1** 22
forza di volontà **9** 16
fotocopia **14** 1
fotocopiare **14** 1
fotocopiatrice **14** 4
fotografa **1** 1
fotografia **2** 15
fra **2** 24/**6** 13
fra l'altro **8** 13
francese **1** 10
francobollo **10** 18
frase **2** 24
fratello **5** 3
frazione **9** 20
freddo **2** 0
frequentare **2** 15
fresco **9** 1/**9** 7
frigobar **3** 15
frigorifero **4** 11
fritto misto **9** 1
frutta **9** 1
frutta di stagione **9** 1
frutti di mare **9** 5
fuggire come la peste **15** 15
fumare **9** 16
fumatore **7** 1
funghi trifolati **9** 1
fungo **2** 7
funivia **6** 13
funzionare **13** 12
fuoco **15** 5
fuoco d'artificio **2** 16
fuori **2** 2
futuro **14** 19

g

galleria **4** 3/**7** 16
gamberetto **2** 8
gambero **9** 9
garage **3** 10
gas **13** 11
gatto **3** 9
gelato **2** 6
generalmente **4** 14
generalmente inteso **11** 24
genero **15** 19
generoso **12** 16
genitori **8** 18
gennaio **3** 21
gente **6** 13
gentile **13** 19
gentilezza **12** 13
genuino **9** 20
geometra **11** 0
gestione **14** 19
gestore **12** 16
gettare **10** 13/**13** 24
gettone **13** 14
ghiaccio **2** 6
già **6** 13
giacca **5** 1
giacca a vento **5** 20
giallo **5** 4
giardinaggio **12** 21
giardini pubblici **4** 5
giardino **3** 4
giocare **6** 13/**8** 1
giocare a carte **6** 13
gioco **10** 1
giornale **7** 3
giornaliero **7** 11
giornalista **11** 21/**11** 24
giornata **2** 1/**4** 14/**8** 13
giorno **2** 15/**3** 2/**4** 14
giovane *(agg.)* **11** 2
giovane **11** 4
giovedì **2** 16
girandola **10** 13
girare **4** 10/**6** 6/**13** 1
gita **6** 17
giù **8** 6/**15** 9
giubbotto **5** 20
giugno **3** 21
giusto **5** 18/**8** 17
gnocchi **9** 1
godere **12** 13
godersi **8** 15
gomma **10** 18
gonna **5** 3
goretex **5** 5
gorgonzola **9** 5
grande **2** 0
grande magazzino **4** 14
grappa **1** 19
graspa **9** 20
gratinato **9** 8
grattugiato **9** 15
gratuitamente **5** 8

variazione **8** 5
vasca **3** 15
va' **9** 16
vedere * **2** 1/**2** 9
velluto **5** 1
velluto a coste **5** 4
vendere **5** 20
vendita **12** 5
venerdì **2** 16
veneto **9** 20
venire * **1** 21/**4** 11/**5** 15
ventina **10** 11
vento **6** 13
veramente **2** 2/**6** 18
verde **5** 1
verde salvia **5** 20
verdura **9** 5
verità **11** 8
vermouth **2** 0
vero **3** 15/**5** 20
versare **9** 15/**12** 16
verso **12** 5/**13** 1

vestire **15** 9
vestirsi **5** 8
vetrina **5** 4
viaggiare **7** 11
viaggio **6** 1
viaggio-premio **6** 4
via **4** 3
viale **6** 21
viceversa **7** 11/**13** 21
vicina **13** 4
vicino **4** 4/**10** 13/**15** 9
vicino a **1** 9
video **13** 8
videocassetta **13** 6
vigile **4** 2
villa **12** 3
villaggio turistico **6** 5
vin santo **2** 0
vincere **6** 4
vincere * **11** 7
vino **1** 1
vino DOC **2** 0

visitare **4** 1
vista **3** 15
visto che **10** 15
vita **5** 10/**11** 9
vitello **5** 20
vivamente **14** 19
vivere **1** 21
voce **7** 19/**13** 24
voglia **2** 24
voi **1** 6
volentieri **1** 14/**6** 24/**10** 2
volerci **7** 5
volere * **1** 18/**2** 24
volere dire **6** 20
volo **7** 17
volta **6** 2/**8** 8
volume **13** 19
vongole **9** 5
vorrei **2** 5
votazione **11** 10
vuoto **9** 20/**10** 13

w

walzer **11** 12
water **12** 15
whisky **2** 6

y

yogurrt **13** 7
yogut intero **13** 7

z

zampone **10** 1
zio **6** 2
zittirsi **13** 24
zoo **4** 3
zucca **9** 6
zucchero **2** 11
zucchina **2** 8

NOMI PROPRI IN ORDINE ALFABETICO

Agrigento **6** 6
Alto Adige **1** 11
America **11** 1
Atene **1** 10
Austria **13** 5
Baviera **1** 9
Berlino **7** 4
Berna **1** 10
Bolzano **1** 11
Calabria **6** 13
Caldaro **1** 11
Campania **1** 11
Catacombe **4** 9
Colonia **11** 18
Colosseo **4** 3
Corsica **6** 5
Dolomiti **6** 13
Etna **6** 6
Firenze **1** 16
Fontana di Trevi **6** 7
Francia **12** 10
Francoforte **7** 4
Genova **1** 17
Germania **11** 18
Grecia **6** 5
Inghilterra **11** 1
Isole Eolie **6** 7
Instituto Centrale di
Statistica **8** 13
Italia **4** 14
Lago di Garda **8** 9
Lago di Lagorai **6** 13
Liguria **1** 11
Lisbona **1** 10

Londra **1** 10
Merano **11** 17
Milano **1** 1
Monaco **1** 9
Musei Vaticani **4** 3
Napoli **1** 1
Padova **2** 15
Parigi **1** 10
Piazza di Spagna **4** 3
Puglia **1** 11
Repubblica Federale
Tedesca **11** 10
Roma **1** 1
San Candido **3** 15
San Silvestro **10** 13
Sardegna **1** 11
Sicilia **1** 11
Smirne **1** 10
Sorrento **1** 11
Spagna **15** 3
Stati Uniti **6** 7
Stoccolma **1** 10
Terme di Caracalla **4** 3
Torino **1** 17
Toscana **1** 11
Trento **11** 2
Trieste **6** 13
Uffizi **6** 8
Umbria **1** 11
Veneto **6** 8
Venezia **1** 15
Vienna **6** 16
Zara **3** 17
Zurigo **7** 4

Finito di stampare nel mese di gennaio 2002
da Guerra guru s.r.l. - Via A. Manna, 25 - 06132 Perugia
Tel. +39 075 5289090 - Fax +39 075 5288244
E-mail: geinfo@guerra-edizioni.com